PIERRE GROSCLAUDE

MALESHERBES ET SON TEMPS

Nouveaux documents inédits

LIBRAIRIE FISCHBACHER
33, Rue de Seine
PARIS

A la mémoire

du Comte Jean de LEUSSE

Chrétien Guillaume Lamoignon de Malesherbes
(Pastel de La Tour)

Collection privée de M. et Mme Charles de Yturbe (Photo G. G.).

Projet d'un monument à la Mémoire de Malesherbes
(*Aquarelle d'Hubert Robert*)

Collection de Leusse (Photo G. G.).

SOMMAIRE

Avant-Propos

Notre ouvrage MALESHERBES, témoin et interprète de son temps (1) *avait pu bénéficier, entre autres sources, d'archives privées, de certains documents appartenant au Comte Guy de Leusse* (2). *Nous lui avons, dans l'avant-propos de ce livre, exprimé notre gratitude ainsi qu'à sa tante Mademoiselle Isabelle de Leusse, qui nous avait mis en rapports avec lui et qui nous avait communiqué un document précieux. Mais un fonds important d'archives nous était demeuré inconnu : il s'agit de celles qui sont la propriété d'une autre branche de cette famille dont les représentants actuels sont le Comte Jean de Leusse, ancien député et sénateur du Bas-Rhin* (3), *son fils le Comte Pierre de Leusse, ambassadeur de France au Maroc et son petit-fils, le Comte Dominique de Leusse.*

Ces archives se trouvaient primitivement à Montboissier dans l'Eure-et-Loir. Le château de Montboissier a été démoli pendant la Révolution et il n'en subsiste plus que deux petits pavillons. Ces pavillons, ainsi que les terres, ont été vendus en 1882 *par le Comte Louis-Paul de Leusse, fils du*

(1) Editions Fischbacher, Paris, 1961.

(2) Fils de Paul de Leusse et petit-fils de Charles de Leusse (voir tableau généalogique II).

(3) *Cet avant-propos était déjà écrit lorsque nous avons appris avec beaucoup de peine la mort du Comte Jean de Leusse, décédé à Reichshoffen à l'âge de* 87 *ans et à qui nous nous proposions de dédier cet ouvrage.*

Comte Thimoléon de Leusse (Voir tableau généalogique II). Les archives ont été transportées alors à Reichshoffen en Alsace, dans le château qui appartenait à Marie Renoüard de Bussierre, Comtesse Paul de Leusse. Le château de Reichshoffen a brûlé au début de la dernière guerre, en décembre 1939. Quelques archives ont pu être sauvées, parmi lesquelles les papiers Malesherbes dont nous avions cru à tort qu'ils avaient disparu dans cet incendie.

Il y a un an, le Comte Dominique de Leusse, qui avait pris connaissance de notre ouvrage, nous a écrit une lettre dans laquelle, après nous avoir dit la satisfaction que nos travaux sur son ancêtre Malesherbes avaient procurée à lui et aux membres de sa famille, il exprimait le regret que nous n'ayons pas bénéficié en temps utile des archives de Reichshoffen. Grâce à son obligeance, nous avons pu connaître ces nouveaux documents, éliminer les moins intéressants, retenir et déchiffrer les plus importants. Aucun d'entre eux ne contredit ou n'infirme ce que nous avons écrit dans notre ouvrage ; ils apportent seulement des précisions complémentaires, des renseignements nouveaux et souvent fort curieux, comme par exemple la relation faite par Malesherbes de son entrevue avec la Reine au sujet du Comte de Guines, ou des lettres attestant sa collaboration avec les Princes du sang à l'époque du Coup d'Etat Maupeou, ou encore sa correspondance avec Etienne de Montgolfier (4).

Nous avons présenté ces documents selon l'ordre chronologique en les accompagnant chacun d'un commentaire explicatif, les replaçant ainsi dans la vie et la carrière de Malesherbes et renvoyant, chaque fois que cela paraissait nécessaire, à notre gros ouvrage, afin de les rendre parfaitement intelligibles et d'en mieux faire ressortir l'intérêt. Nous les avons fait suivre d'une note sur « Malesherbes et l'émigration » destinée à préciser la solution d'un problème à la lumière d'un texte de Chateaubriand que nous avions omis de mentionner dans notre livre.

---

(4) On verra aussi que la lettre au baron de Breteuil du 27 juillet 1776 nous instruit sur les mobiles profonds et secrets qui poussèrent Malesherbes à se retirer prématurément du ministère.

AVANT-PROPOS

En tête de cet ouvrage le lecteur trouvera deux tablea généalogiques : le premier est la reproduction du tableau l (p. 23 de notre ouvrage MALESHERBES, témoin et interprè de son temps) *montrant la descendance immédiate de et Mme de Montboissier (Françoise-Pauline, seconde fille Malesherbes) ; le second tableau montre la descendance la comtesse Colbert de Maulévrier, l'aînée des cinq filles Françoise-Pauline, par laquelle la famille de Leusse se ratt che directement à Malesherbes.*

Nous sommes très reconnaissant au Comte Jean d Leusse, d'avoir spontanément mis à notre disposition ce documents qui complètent si heureusement les travaux qu nous avons entrepris sur son illustre ancêtre. Il nous es agréable aussi d'exprimer notre gratitude à Madame Charle de Yturbe, née Laurette de Leusse, propriétaire du châtea d'Anet, qui nous a reçu avec tant de bonne grâce, et qui mis sous nos yeux de précieuses reliques, notamment l portefeuille que Malesherbes avait sur lui au jour fatal d son exécution ; c'est elle qui nous a autorisé à mettre au seuil de cet ouvrage une reproduction du pastel de Malesherbes par La Tour que nous avions eu le privilège de contempler avec émotion dans son appartement parisien.

P. G.

P. S. — Toutes les lettres dont nous donnons le texte dans cet ouvrage sont des minutes autographes, à part trois ou quatre, écrites de la main d'un secrétaire.

Pour les premières nous avons scrupuleusement respecté l'orthographe de Malesherbes (1).

Nous avons jugé préférable de faire précéder chaque document du commentaire qui lui sert d'introduction et qui l'explique. Néanmoins dans certains cas, par exemple pour la lettre qui concerne le cousin de J.-J. Rousseau, on aura intérêt à lire le document avant le commentaire.

Signalons enfin que nous avons ajouté une lettre provenant des archives de Lantheuil (au marquis Turgot) qui complète ce que nous savons sur Malesherbes arboriculteur.

Nous remercions vivement M. Raymond Schaltin pour l'aide qu'il nous a apportée dans la revision des épreuves de cet ouvrage.

(1) *Sur l'orthographe* de Malesherbes, très nettement archaïque et souvent flottante et sur ses variations, on se reportera à la note qui figure à la page XIV de notre ouvrage *Malesherbes témoin et interprète de son temps.*

TABLEAU I

Françoise-Pauline DE LAMOIGNON DE MALESHERBES épouse Charles-Philippe SIMON, Baron de MONTBOISSIER
(1758-1827) (1750-1802)

CHARLOTTE - PAULINE-CHRISTINE	ANTOINETTE-PHILIPPINE	CAMILLE-EUGENIE-CHARLOTTE	ANNE - CHARLOTTE-ALBERTINE	ALEXANDRINE - HELOISE-LAURETTE
(1777-1837)	(1778-1851)	(1780-1833)	(1782-1861)	(1786-1858)
épouse Louis-Charles-Victurien Colbert, comte de Maulévrier, contre-amiral	épouse Charles-Alexandre-Barthélémy - François, baron de Baert.	épouse Joseph-Gabriel, marquis de Cordoue.	épouse Dominique-Ange-Louis de Gourgues, marquis de Vayres et d'Aulnay.	épouse François-Ursin Durand baron de Pizieux.

TABLEAU II

DESCENDANCE DE PAULINE-CHARLOTTE DE MONTBOISSIER-BEAUFORT-CANILLAC, COMTESSE COLBERT DE MAULEVRIER

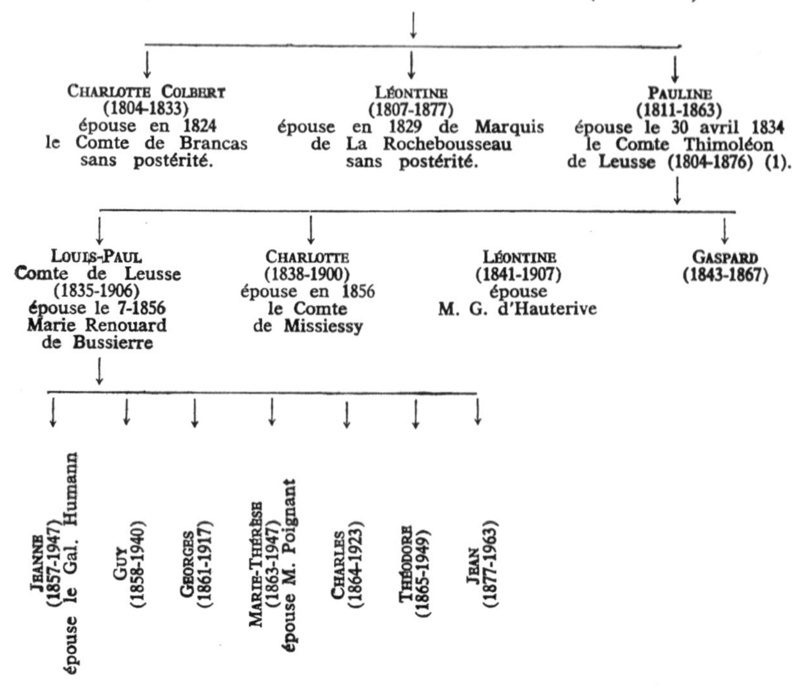

(1) **Thimoléon de Leusse, mari de Pauline Colbert, avait deux frères aînés :** *Joseph-Louis*, Marquis de Leusse, marié à Sabine de Montviol, dont descend la branche aînée. *André-Hippolyte*, Comte de Leusse, marié à Marie de Leusse, dont postérité.

Il était le fils du Marquis Augustin de Leusse, chevalier de Malte, et de Laurence du Colombier. Augustin de Leusse était lui-même le dernier fils de Louis, Marquis de Leusse, marié à Antoinette de Laube de Bron, Comtesse de Saint-Jean. Le Marquis Louis de Leusse a été guillotiné à Lyon en 1794.

Introduction

UNE VISITE AU ROI LOUIS XVIII

On ne lira pas sans émotion le récit de l'entrevue de Madame de Montboissier, seconde fille de Malesherbes, et de ses cinq filles, avec Louis XVIII, à son retour en France, entrevue qui eut lieu à Saint-Ouen le 2 mai 1814. Napoléon a abdiqué trois semaines auparavant ; Louis XVIII est à la veille de faire son entrée à Paris. Et l'on verra comment cette entrevue appelle le souvenir d'une autre rencontre, plus pathétique encore, qui se produisit au temps de l'émigration dans une petite ville d'Allemagne entre le frère du roi, exilé, et trois des petites-filles de Malesherbes, les trois plus jeunes, conduites par leur grand-tante, la comtesse de Pons (1).

Celle qui fait le récit est Madame de Pizieux née Alexandrine, Héloïse, Laurette de Montboissier (1786-1858), la cinquième et la plus jeune des petites-filles de Malesherbes (voir *tableau généalogique I*). La tante Léontine dont il est question dans la note qui figure en tête du récit est, non pas Léontine Colbert, marquise de la Rochebousseau, seconde fille de Mme de Colbert,

(1) Le récit mentionne également deux entrevues postérieures à celle de St-Ouen : une réception chez la duchesse d'Angoulême (Madame Royale), fille de Louis XVI, et une seconde réception chez le Roi, à laquelle fut conviée toute la famille de Malesherbes, en tout 18 personnes.

l'aînée des filles de Mme de Montboissier, et nièce de Mme de Pizieux, mais très probablement Léontine de Leusse (1841-1907), fille de Pauline Colbert et du comte Thimoléon de Leusse, qui épousa M. G. d'Hauterive (voir *tableau généalogique II*). Quant à la personne qui a transcrit le récit et qui a ajouté la mention : « *Copié sur un papier d'Hauterive ayant appartenu à ma tante Léontine* », ce ne peut être que l'une des filles de Paul, comte de Leusse, c'est-à-dire soit Jeanne, soit Marie-Thérèse, décédées toutes deux en 1947 (voir tableau généalogique II).

UNE VISITE AU ROI LOUIS XVIII PAR MA TANTE DE PISIEUX

(*Copié sur un papier d'Hauterive ayant appartenu à ma tante Léontine*).

Monsieur, frère du Roi, était entré dans Paris le 12 avril 1814, jour où nous y arrivâmes ; on ne peut rendre la joie qui éclata. Le 17 avril il fit dire à maman de venir chez lui avec toute sa famille. Elle y mena aussi les enfants et les petits-enfants de sa sœur et conduisit ainsi deux générations qu'une seule minute, qu'un même dévouement rendirent orphelins. Monsieur nous adressa quelques mots touchants, parut ému en parlant de notre grand-père et fut rempli de bonté et de grâce.

Maman alla le 1er mai à Compiègne où le roi arriva à trois heures. Quand Sa Majesté l'aperçut elle lui dit : « *Madame de Montboissier, nous avons ensemble des larmes à verser, des souvenirs à conserver* ». Puis il lui fit dire de venir dîner avec lui. Le 2 mai il vint coucher à Saint-Ouen dans la maison de Mme la Comtesse Potoska pour faire plus commodément son entrée le lendemain.

Nous y allâmes toutes cinq avec nos maris et y fûmes présentées en robes courtes. Il faut que je remonte à seize années de mon existence pour te faire comprendre ce que les paroles adressées par le Roi à tes tantes de Gourgue, de Cordoue ainsi qu'à moi, eurent de remarquable. Nous venions de fuir la France où nous n'avions plus de parents. Hélas ! tous avaient péri ! Nous voyagions avec Mme la Comtesse de Pons, notre grand-tante : A Quedlinbourg, petite ville d'Allemagne en changeant les chevaux, le roi Louis XVIII alors dans l'auberge de la Poste s'informa du nom des voyageurs. On lui dit que c'était Mme de Pons et les trois petites filles de M. de Malesherbes. Sa Majesté nous fit donner l'ordre de monter ; nous entrâmes dans une vilaine petite chambre sans rideaux, au lit couvert d'une vieille siamoise, une mauvaise table, un miroir penché, quelques chaises de canne et un fauteuil formaient l'ameublement de la demeure d'un roi ! La veille un forcené sans doute payé par le gouvernement français de ce temps, lui avait tiré un coup d'arquebuse dans le front. Le roi portant un bandeau noir sur sa blessure : « *approchez-vous mes enfants, je suis content de vous voir,* nous dit-il : *vous avez perdu votre grand-père, votre famille, pour mon frère, je suis empressé de me rapprocher de ce qui reste de cet homme vénérable* ». Puis il nous ordonna de nous asseoir ; j'avais sept ans alors : « *Et vous ma petite,* me dit-il, *on vous a défendu de vous asseoir devant moi, mais non sur mes genoux* ». Il m'y prit avec une bonté si touchante que mon jeune cœur en sentit dès lors tout le prix. Il releva son bandeau et me fit coucher deux de mes doigts dans sa blessure : « *Vous vous le rappellerez j'en suis sûr* » me dit-il.

Ces circonstances les plus remarquables de ma vie ne

furent point oubliées par le roi à Saint-Ouen lorsque maman en nous présentant lui dit : « *Sire, voici mes cinq filles* (Colbert, Cordoue, Barthe, Gourgue, Pisieux). Il répondit « *Je connais les trois plus jeunes* » et se tournant vers tes tantes de Cordoue, de Gourgue et vers moi : « *Vous rappelez-vous de m'avoir vu Mesdames? alors que j'avais un bandeau sur les yeux, mais ce n'était pas assurément celui de l'amour* ». Le 3 mai, jour de l'entrée du Roi à Paris, Notre-Dame était superbement décorée. Peu de jours après elle fut tendue de noir ! une vaste tribune fut réservée pour ma mère et sa famille. Hélas ! le jour de deuil universel en était un particulier pour nous, car le coup qui frappait le roi atteignit aussi notre vénérable grand-père (1). Ma mère perdit connaissance pendant la cérémonie. Madame ne fut pas aperçue. Un voile noir la dérobait à tous les regards et sa douleur sans faste mais sans bornes voulut être sans témoins. En rentrant nous trouvâmes une lettre de Mme la Comtesse Etienne de Damas qui mandait à maman que Mme la duchesse d'Angoulême, en revenant de cette lugubre cérémonie, lui avait dit : « *Je n'ai pu me rappeler avec quelque douceur en ce jour que le souvenir de M. de Malesherbes qui seul a donné des consolations au Roi mon père. Faites dire à sa fille et à tous ses petits-enfants que je veux les voir en particulier dès demain* ». Nous nous y rendîmes à 2 heures le ... mai 1814 (2) « *Je suis charmée de voir vos enfants,* dit-elle à maman, *nommez-moi donc vos gendres l'un après l'autre* », puis elle nous fit plusieurs questions obligeantes, parla de sa *reconnaissance* pour mon grand-père, de son dévouement, de l'amitié que

(1) Malesherbes qui, en défendant Louis XVI, avait en quelque sorte signé son arrêt de mort.

(2) Date omise.

lui portait le Roi son père. Enfin elle ne négligea rien pour nous traiter avec la plus parfaite bonté. En sortant de chez elle, le Roi nous fit dire par le Duc de Damas (3) qu'il nous recevrait le lendemain à dix heures et demie dans les petits appartements ; nous nous y rendîmes en famille, nous étions 18, tous petits-enfants ou arrière-petits-enfants de M. de Malesherbes. « *Je suis content de vous voir réunis* », dit-il à maman et s'apercevant que plusieurs de nous se tenaient éloignés « *Approchez-vous donc, j'aime à être entouré par vous* ». Alors maman répondit : « *Ah ! Sire, je suis confuse de votre bonté* » — « *Ma bonté, Madame, j'espère en avoir quelquefois, mais vis-à-vis de vous et d'eux* (en nous montrant tous) *je n'aurai jamais que des devoirs, de la justice, de la reconnaissance. La France et moi ne pourrons jamais nous acquitter de notre dette envers M. votre père. Le ciel peut-être, peut-être ?... assurément*, reprit-il (en levant vers le ciel le regard le plus expressif) *l'a récompensé, mais ici je ne l'espère pas, non je ne le pourrai jamais* ». Il ajouta encore quelques paroles puis se retira, sans doute fatigué, car il était resté debout tout le temps de cette séance. Nous en sortîmes les larmes aux yeux, sentant que dès ce moment toutes nos vies étaient à lui !...

(3) Joseph François de Damas d'Antigny (1758-1829), aide de camp de Rochambeau dans la campagne d'Amérique, arrêté à Varennes avec Louis XVI, émigra et, à la Restauration, fut nommé commandant de la garde nationale à cheval de Paris, — duc et pair en 1825.

CHAPITRE PREMIER

Malesherbes à la librairie et à l'Académie des Sciences

LETTRE AU COMTE DE NOAILLES,
janvier 1757

Cette lettre a été écrite peu après l'attentat de Damiens (5 janvier 1757) auquel fait allusion la phrase : « Il n'est pas étonnant qu'une circonstance telle (1) que celle-cy ait fait faire à cet égard des reflexions sérieuses ». On sait qu'à la suite de cet événement des mesures draconiennes furent prises en matière de librairie : la Déclaration du 16 avril 1757 (dont Malesherbes blâmera la sévérité) prévoit la peine de mort « pour des délits aussi vaguement exprimés que celui d'avoir composé des ouvrages tendant à émouvoir les esprits »; elle ne fait pas de différence entre la culpabilité de l'auteur et de l'imprimeur et celle du libraire qui se borne à faire vendre le livre incriminé...

Toujours est-il que cette lettre montre bien que Malesherbes n'était pas, comme on l'a trop souvent dit, homme à couvrir tous les abus (Cf. *Malesherbes, témoin et interprète de son temps*, p. 54). Que des livres prohibés se débitent jusque dans le château de Versailles, c'est là une marque de la licence générale qui ne peut manquer de le révolter. L'ouvrage dont il est question ici est susceptible de provoquer des difficultés diplomatiques : aussi convient-il d'en empêcher le débit. Les libraires de Versailles peuvent ignorer la défense qui a été faite à ceux de Paris : c'est pourquoi Malesherbes sollicite de la part du comte de Noailles un entretien afin que soit établie une liaison plus régulière entre Versailles et Paris.

---

(1) Malesherbes avait d'abord écrit : « aussi affreuse ». Il a dû penser qu'un simple coup de canif ne méritait pas un qualificatif aussi fort.

La lettre est adressée à Louis de Noailles (1713-1793) fils du célèbre maréchal de Noailles et qui devint duc et Maréchal de France en 1766, à la mort de son père. Il fit de nombreuses campagnes et jouit constamment d'une grande faveur auprès de Louis XV.

A M. le Comte de Noailles.

Janvier 1757 (*peu après l'attentat de Damiens*)

Vous scavés aussi bien que moy, Monsieur, les abus qui se commettent tous les jours depuis quelques années en matiere de librairie, et je scais que personne n'est plus zelé que vous pour les reprimer. Il n'est pas surprenant qu'une circonstance telle (1) que celle cy ait fait faire à cet egard des reflexions serieuses. Il y à eu des conferences chez M. le Chancelier à ce sujet entre M. le lieutenant de police et moy, dans lesquelles on est convenu des mesures à prendre pour empescher au moins le debit public des livres prohibés dans Paris. Mais inutilement s'en occuperoit-on si le même debit se faisoit par les marchands etablis à Versailles dans le chateau. J'ay toujours compté avoir l'honneur de vous entretenir de cet objet de police, et ce doit estre plustot la matiere d'une conversation que d'une lettre. Je n'ay cependant pas cru devoir attendre jusqu'au moment ou j'auray l'honneur de vous voir pour vous informer d'une contravention qui se commet actuellement : il a esté imprimé depuis peu (et à la faveur de la licence generale et de quelques circonstances particulieres) un volume in 12

(1) Mots biffés et remplacés par *telle : aussi affreuse*.

intitulé *des principes des negociations pour servir d'introduction au droit public de l'Europe fondé sur les traités.*

Cet ouvrage a esté proscrit dès sa naissance et il à esté fait des visites ches ceux qui le vendoient par le syndic de la librairie. L'effet de ces visites a esté de saisir un certain nombre d'exemplaires, ce qui à la verité ne diminue pas beaucoup l'edition, mais les defenses de vendre le livre dans Paris faites par ce meme syndic en diminuent le debit jusqu'à un certain point. D'ailleurs il vaut toujours mieux qu'un livre de cette nature paroisse defendu que s'il se vendoit publiquement : c'est satisfaire d'avance aux plaintes auxquelles il peut donner lieu de la part des puissances etrangeres. J'ay cependant appris que nonobstant les defenses le debit se faisoit avec la même publicité et notamment à Versailles. Vos libraires peuvent n'estre pas dans leur tort parce qu'ils ignorent la defense faite à ceux de Paris, et cela vient du manque d'une relation necessaire, ce qui est un des objets dont je me suis proposé de vous entretenir.

Quoy qu'il en soit, Monsieur, je crois que vous penserés que dans ce moment cy et en attendant des arrangemens definitifs pour la suite, il seroit bon d'empescher que cette brochure ne fut exposée en vente. D'ailleurs vous jugerés mieux que moy s'il est à propos de faire cette defense avec plus ou moins d'eclat.

J'ay cru me conformer à vos vues en vous donnant cet avis et je saisiray toujours avec empressement les occasions de vous prouver l'attachement inviolable avec lequel j'ay l'honneur d'estre, Monsieur...

∴

TROIS LETTRES
CONCERNANT LA PUBLICATION D'ŒUVRES DE GALILEE
(1759-1760)

Tout jeune, en 1750, Malesherbes était devenu membre de l'Académie des Sciences. Il s'intéressa de très près aux travaux de l'Académie dont il était en 1760 le Président. A ce titre il s'emploie à exciter le zèle de Jean-Baptiste Nelli, descendant de Galilée, qui se propose de publier une collection complète des lettres du grand savant italien et d'accompagner cette publication d'une « Vie de Galilée ».

Celui qui semble avoir mis Malesherbes en relation avec Nelli est P.-J. Grosley, membre de l'Académie des Belles-Lettres de Troyes, qui entretint une correspondance avec Malesherbes (voir notre *Malesherbes*, p. 27 et pp. 516-517).

L'ouvrage de Nelli (Giovanni, Battista, Clemente), *Vita e commercio letterario di Galilei*, parut à Lausanne, seulement en 1793 (2 volumes in 4°). Il comprend six parties, divisées chacune en chapitres. Le chapitre XII et dernier de la sixième partie est un catalogue des ouvrages de Galilée. Chaque volume, et même chaque partie sont dédiés à un personnage important. La préface est datée de Florence, du 9 juin 1790.

29 *décembre* 1759

A M. Grosley.

J'espere, Monsieur, qu'il me sera aisé de me faire authoriser par l'Academie à exhorter M. Nelli à donner les lettres de Galilée, mais je ne crois pas qu'il convienne que je luy donne au nom de l'Academie des conseils sur l'ordre de son ouvrage. Il n'y à personne qui ne pense comme vous qu'il faut commencer par donner ce qu'on a de Galilée sans attendre sa vie qui ne sera peut estre jamais achevée.

Mais il me semble que l'Academie est un corps trop grave pour entrer dans ce detail. D'ailleurs il faudroit pour cela faire une espèce de deliberation que je crois inutile. J'ay fait d'après cela quelques legers changemens au projet que vous m'avés envoyé. Si vous les agrées, je feray partir la lettre des le lendemain de la première seance de l'Academie ou j'en auray parlé.

Vous connoissés, Monsieur, la parfaite consideration avec laquelle j'ay l'honneur d'estre...

*
* *

Lettre de M. de Malesherbes à M. Nelli.

(*écrite de la main d'un secrétaire*)

« Le projet de cette lettre fut envoyé à M. de Malesherbes par M. Grosley ; il y fut fait quelques changemens ».

(*apostille d'une main étrangère*)

Janvier 1760

Plusieurs personnes, Monsieur, qui s'intéressent aux Sciences et à l'histoire de ceux qui les ont cultivées avec le plus grand succès ont appris de M. Grosley que vous avés entre les mains une collection complette des Lettres de Galilée, et plusieurs de ses ouvrages qu'il a retouchés et traduits lui meme en italien dans les dernieres années de sa vie.

Un tresor de cette espece a droit d'interesser l'Academie

des Sciences, qui desire avec la plus vive impatience que vous lui en fassiés part, en le donnant au Public.

J'ai l'honneur d'estre President de cette illustre societé et je suis autorisé a vous marquer l'interest qu'elle prend à la publication de cet ouvrage.

Le Public verra avec le plus grand plaisir la nouvelle vie de Galilée que vous voulés composer d'après ses lettres, nous craignons seulement que la composition de la vie ne rejette trop loin la publication des Lettres.

La pluspart de nos scavans avec qui j'en ai causé pensent que la meilleure maniere de donner ces lettres est de donner tout le recueil sans reserve ni retranchement. Il en sortira des lumieres ou sur les sciences, ou sur leur histoire, ou sur la vie de Galilée dont les moindres details sont interessans pour ceux qui connoissent les ouvrages de cet homme celebre.

Il ne nous restera qu'a feliciter Galilée d'avoir trouvé en vous un parent aussi zelé pour sa memoire. Il n'est pas permis à tout le monde de jouir du superbe monument que vous lui avés erigé. Ses lettres et ses ouvrages que nous attendons de vous nous tiendront lieu de ce monument. En les publiant vous pourrés dire avec Horace :

Exegi monumentum aere perennius.

Nous aurons a nous feliciter si nos vœux peuvent en hater l'execution.

De la main de Malesherbes : On ne peut rien ajouter à la parfaite consideration avec laquelle j'ay l'honneur d'estre, Monsieur...

⁂

A M. J.B. Nelli

28 *mars* 1760

(*date de la main de Malesherbes*)

Vous ne devés point estre surpris, Monsieur, de l'empressement qu'a marqué l'Academie des sciences de connoitre ce qui reste d'un aussi grand homme que Galilée, nous n'avions pas un moindre desir de voir sa vie ecrite par celuy de ses descendans qui s'est montré le plus digne de luy. On nous avoit seulement fait craindre que le travail considerable auquel sa vie doit donner lieu ne rejettat trop loin l'edition de ses œuvres, mais l'assurance que vous voulés bien me donner à ce sujet calme entierement nos inquietudes et nous comptons voir l'ouvrage entier avec un double plaisir.

J'ay remis à l'Academie le livre tres estimable dont vous m'avés chargé et je l'ay deposé dans sa bibliothèque. Je suis chargé de la part de cette compagnie de vous faire les remercimens qu'elle vous doit pour un present dont elle connoit tout le prix.

Permettés moy aussi de vous faire les miens et de vous feliciter d'avoir eu cette occasion de faire connoissance avec un homme de votre merite.

Je voudrois en trouver de nouvelles de me rappeler dans votre souvenir et de cultiver votre amitié. J'ay l'honneur d'estre, Monsieur, avec la plus sincere estime...

⁂

LETTRE DE MALESHERBES A SON PERE
le Chancelier de Lamoignon (1760)

Cette lettre présente un double intérêt : d'abord elle nous montre combien Malesherbes se passionnait pour les voyages d'exploration et de découvertes ; ensuite parce qu'elle concerne le grand orientaliste Abraham Hyacinthe Anquetil-Duperron (1731-1805), alors âgé seulement de 29 ans et dont la lettre retrace les difficiles explorations et les premiers travaux.

C'est en effet en 1758 qu'Anquetil-Duperron, après avoir surmonté les plus grands obstacles, s'établit à Surate et se mit en rapports avec les dastours parsis. Son maître Dârab l'initia à la langue et aux mystères de l'ancien culte des Perses et l'aida à réunir une collection de manuscrits précieux qu'il devait rapporter en France et déposer le 15 mars 1762 à la bibliothèque du Roi ; parmi ces manuscrits se trouvaient deux exemplaires des livres sacrés des Perses. C'est en 1771 que paraîtra son œuvre capitale : la publication des documents originaux et la traduction du Zend-Avesta. Dès 1763 il fut nommé membre de l'Académie des Inscriptions et Belles-Lettres.

On sait l'intérêt que suscitèrent au XVIIIe siècle les *Guèbres* (descendants des Perses vaincus par les Arabes au VIIe siècle et qui avaient continué à suivre la religion de Zoroastre), les persécutions dont ils furent l'objet, leur émigration vers l'Inde, leur fidélité à Zoroastre. Voltaire leur a consacré une de ses dernières tragédies.

Malesherbes à son père [1760]

Mon père,

J'ay l'honneur de vous envoyer un paquet qui est arrivé de l'Inde à votre adresse par les derniers vaisseaux et je dois vous prevenir en même tems de ce que je crois que le paquet contient.

Celuy qui vous l'envoye est un jeune homme nommé Anquetil Duperron. Il partit pour l'Inde il y a quelques années avec un zele prodigieux pour l'etude des langues orientales. Comme il n'avoit pas de quoy faire le voyage à ses frais, il eut le courage de s'engager soldat dans les troupes de la compagnie. On en fut averti lorsqu'il estoit à Lorient prest à s'embarquer. On le dégagea et on lui fit faire le voyage dans un état plus honneste.

M. Bignon le fit interprete de la bibliothèque du roy, la compagnie des Indes luy donna aussi quelques appointements pour l'aider dans des recherches dont elle pouvoit tirer quelque utilité. Les amateurs s'y joignirent pour luy faire une pacotille non de marchandises à vendre mais de livres à étudier. En un mot on lui a fait un sort de huit à neuf cents livres par an, ce qui est bien peu de choses pour soutenir un homme qui n'a pas d'autres ressources.

Depuis son arrivée dans l'Inde nous savons qu'il a fait un grand nombre de voyages, qu'il a souffert des fatigues incroyables et qu'il a eprouvé bien des malheurs. Il estoit à Chandernagor lors de la prise de ce comptoir et il y a perdu le peu d'effets qu'il avoit. Il alla de la seul, moitié à pied, moitié à cheval, trouver M. de Bussy (1) à Auvengabad à travers des pays inconnus aux européens. Il avoit auparavant poussé jusqu'à Benares fameuse université indienne qui est dans l'interieur du pays des Mogols et peu eloignée de Delly. Depuis il a fait d'autres voyages dans la presqu'isle, toujours seul, sans argent, et souvent par des pays ou aucun européen n'avoit penetré. Depuis il à esté arresté dans ses courses par des maladies longues et très dangereuses.

(1) François de Bussy, administrateur et diplomate, premier commis aux Affaires étrangères, fut pourvu de nombreuses missions (1699-1780).

Enfin il est arrivé à Surate ou il a fait connoissance avec les guebres qui sont establis dans cette fameuse ville et dans les environs. Vous scavés que ces Guebres ou Parsis sont les descendants des anciens Perses et qu'ils ont conservé la langue, les mœurs et la religion de leurs ancestres. Il les a engagés à l'initier dans leur langue et dans leurs mystères. Cette connoissance est desirée depuis longtemps de tous les scavans et indiquée comme le moyen le plus sur de parvenir à eclaircir les points les plus difficiles de l'histoire ancienne. Hyde, scavant anglois, donna dans le siecle passé quelques fragmens de manuscrits que les Guebres conservent comme un livre sacré dont l'auteur est Zoroastre. Ce morceau est regardé comme un des plus precieux monumens pour l'histoire des siecles reculés. Anquetil a voulu aller bien plus loin et il a entrepris d'apprendre la langue et de traduire l'ouvrage entier. Des qu'il a eu l'esperance d'y parvenir il en a fait part à ses amis, et quoy que vous n'ayés peut etre jamais entendu parler de luy il vous à ecrit à ce sujet une lettre du 6 octobre 1758 que vous aves recue il y à environ un mois ou six semaines et que vous m'avés renvoyée. Nous doutions encore de l'execution d'un projet à cause des difficultés qui auroient pu se rencontrer et nommement de la prise de Surate par les Anglois.

Enfin les derniers vaisseaux ont apporté des lettres de luy à M. Boutin, commissaire de la Compagnie, à l'abbé Rehelesni et à moy. Il nous mande que sa traduction est achevée, qu'il a fait aussi plusieurs memoires importans sur les Guebres et sur d'autres points d'histoire ancienne et moderne et de la littérature indienne et persanne. Il indique plus particulièrement le titre et l'objet de ces memoires dans la lettre à M. l'Abbé Rohelesni.

Mais ce qui nous a beaucoup estonné c'est qu'il nous

mande que vu l'importance de son ouvrage il à eu la hardiesse de l'adresser directement au roy et il ajoute dans ma lettre qu'il vous à ecrit pour vous prier de vouloir bien faire... (1) à S.M. le merite de cette decouverte.

(*Il semble que la fin de cette lettre manque*).

*
* *

LETTRE AU BARON DE BRETEUIL
20 novembre 1760

C'est encore en qualité de président de l'Académie des sciences que Malesherbes écrit cette lettre dans laquelle il s'adresse au baron de Breteuil, alors ministre plénipotentiaire de France à Pétersbourg (1), pour lui recommander l'abbé Chappe d'Auteroche désigné pour aller en Russie afin d'observer le passage de la planète Vénus et dont la mission se heurte à quelques difficultés.

Jean Chappe d'Auteroche, astronome, oncle des frères Chappe, inventeurs du télégraphe, était né à Mauriac en Auvergne en 1722. Il embrassa l'état ecclésiastique mais se consacra surtout à l'astronomie. Membre de l'Académie des Sciences, il fut choisi en 1760 pour aller à Tobolsk observer le passage de Vénus sur le disque du soleil ; ce passage eut lieu le 5 juin 1761. Rentré en France, l'abbé Chappe d'Auteroche publia son *Voyage en Sibérie* dont quelques pages peu favorables à la Russie lui valurent, sous le titre d'*Antidote*, une réfutation que l'on attribua à Catherine II ou au comte Schouvaloff. Envoyé ensuite en Californie pour observer un deuxième passage de Vénus, il y mourut en 1769 d'une maladie contagieuse. Son *Voyage en Californie* a été publié par les soins de Cassini en 1772.

Dans une lettre à Mlle Volland du 6 novembre 1760, donc à peine antérieure à cette lettre de Malesherbes, Diderot parle

---

(1) Un mot illisible.

(1) Le baron de Breteuil quitta Pétersbourg en 1763. Cf. sa lettre à Voltaire, Paris 1er août 1763.

précisément de la mission de l'abbé Chappe d'Auteroche en Russie, et ne cache pas la piètre estime que lui inspire le personnage : « *Un habile garçon qui s'appelle Desmarets, devait être envoyé en Sibérie pour y faire des observations ; il n'ira pas. On lui préfère un sot appelé l'abbé Chappe...* » Dans la suite, Diderot raconte une entrevue qu'il eut chez Damilaville avec Desmarets, Tillet et un jeune conseiller au Parlement. Desmarets dit qu'il « *avait préparé un grand nombre d'expériences, qu'assurément l'abbé Chappe ne fera pas.* »

Au baron de Breteuil.

20 *novembre* 1760

Permettés moy, Monsieur, de vous recommander avec la plus grande instance M. l'abbé Chappe d'Auteroche qui doit aller en Russie par ordre du Roy de la part de l'Académie des Sciences. Ce sera luy qui vous remettra cette lettre et il vous expliquera luy-même l'objet de son voyage et l'importance des observations astronomiques qu'il est chargé de faire. Vous recevrés d'ailleurs des lettres du ministre à son sujet, mais je dois y joindre ma recommandation comme president de l'Académie, et independamment de ce titre c'est aussi en mon nom que je vous le recommande, comme un homme de grand merite et d'un caractere tres sur et tres sociable que tous les gens de merite n'ont pas. Je compte assés sur votre amitié pour me flatter que vous luy accorderès votre protection et j'espere aussi qu'il s'en rendra digne.

Je compte meme deja tellement, Monsieur, sur vos bontés pour luy que je vais vous prevenir d'une petite tracasserie qu'il craint en partant, mais qui cependant ne doit pas l'empescher de partir. La premiere idée de son voyage vint par une lettre de M. Muller academicien de Petersbourg à M. l'abbé de la Caille academicien de Paris. M. Muller mandoit que l'Academie imperiale demandoit un astronome francois pour observer en Siberie le passage de Venus, et que des que cet astronome seroit arrivé en Russie l'academie se chargeroit de le faire passer au lieu destiné pour son observation. Ce fut sur cette lettre que plusieurs personnes se presenterent et qu'on choisit M. l'abbé de Chappe pour remplir l'objet qu'on se proposoit. On en parla à M. de Saint-Florentin et ensuite à M. le duc de Choiseul. Il y eut différentes autres lettres écrites et il ne fut plus question de la proposition faite par M. Muller parce que l'affaire fut suivie par M. de Montalambert (1) qui aux autres qualités que vous luy connoissés joint celle de membre de l'Académie des Sciences de France et qui à ce titre estoit plus zelé que personne pour la reussite de l'entreprise. Enfin tout à esté arrangé et l'abbé de Chappe vous montrera des copies certifiées des lettres sur la foy desquelles il part.

Mais tout estant prest nous avons esté tres etonnés d'apprendre que M. l'abbé de la Caille à reçu une nouvelle lettre de M. Muller qui luy mande qu'il a changé d'avis et qu'il renonce au projet qu'il avoit eue (*sic*) pour l'observation de Venus. Cette lettre auroit pu donner lieu à un eclaircissement qu'on auroit demandé si on en avoit eu le tems, mais comme il s'en faut beaucoup qu'on ne l'ait, M. l'abbé de Chappe est toujours parti.

Cependant cette lettre luy cause de l'inquietude, effectivement cette lettre est singuliere et donne lieu de soupconner qu'il y à peut etre eu sur ce voyage des tracasseries dans l'interieur de l'Academie imperiale que nous ignorons.

---

(1) Ingénieur et officier, spécialisé dans l'art des fortifications (1714-1800). Quant à l'abbé de Lacaille (1713-1762), il fut un astronome de grand mérite.

Or les tracasseries sont ce que les scavans ont le plus à craindre, parce que par etat ils ne doivent pas avoir les talens necessaires pour s'en tirer. Pour le tranquilliser je luy ay dit que je le mettois sous votre conduite comme sous votre protection. Il n'y à pas d'apparence qu'on veuille rendre inutile un voyage qui n'a pour objet que le bien public et l'interest general de l'astronomie et qui n'a esté entrepris que sur une demande et d'après des paroles sur lesquelles on doit compter. Ainsi quand il eprouveroit quelques difficultés imprévues j'espere qu'avec votre protection il sera aisé de les applanir. Vous connoissés l'attachement durable avec lequel j'ay l'honneur d'estre Monsieur...

CHAPITRE DEUXIÈME

Dissertation sur les Grands, la Noblesse et l'Inégalité

REPONSE AU COMTE DE SARSFIELD

Bâville, le 28 novembre 1766.

Cette lettre, qui a les dimensions d'un véritable opuscule, est adressée au comte de Sarsfield auquel Malesherbes reproche de marquer une inclination pour la féodalité et de soutenir la cause des *grands* qui sont « *une classe d'hommes très distincte.* »

Ces pages offrent un vif intérêt à plusieurs égards :

1° — la distinction que fait Malesherbes de la noblesse et des *grands* qu'il juge avec beaucoup de sévérité et qu'il accuse d'être les adorateurs de la richesse ;

2° — ce qu'il pense du prestige désastreux exercé par la richesse et le luxe et le rôle qu'il assigne à la philosophie dans ce domaine ;

3° — la sympathie que lui inspire le caractère indépendant d'un homme comme Rousseau qui méprisait les richesses et les moyens de les acquérir ;

4° — Ce qu'il révèle de la faiblesse de Montesquieu, très attaché au préjugé nobiliaire.

Le comte Guy-Claude de Sarsfield, avec lequel Malesherbes fut très lié, avait été lieutenant au régiment des gardes-françaises, puis colonel du régiment de Provence et chevalier de St-Louis ;

fils du comte Jacques de Sarsfield, il appartenait à une famille d'une noblesse très ancienne, d'origine irlandaise.

(On lira plus loin, p. 56, une note dictée par Malesherbes à un secrétaire et intitulée : *Affaires concernant le testament de M. de Sarsfield*).

Voici d'ailleurs l'analyse de cette lettre :

Les grands — au nombre desquels on peut mettre les gens de robe — ne méritent pas la considération dont ils jouissent. Aucun esprit de corps n'a fasciné mes yeux, dit Malesherbes ; or il sait que le corps auquel il appartient, la magistrature, est celui qui abuse le plus de son autorité et de sa considération.

L'égalité des conditions est un idéal dont il faudrait se rapprocher. Malheureusement nous en sommes encore bien éloignés.

Malesherbes distingue une *inégalité réelle* et une *inégalité d'opinion.*

1° — INÉGALITÉ RÉELLE. Elle a plusieurs sources : la puissance (celle qui est dévolue aux grands fonctionnaires de l'Etat) — l'autorité des magistrats — la richesse.

Sous un gouvernement féodal, ces trois sources de puissance se trouvent réunies par la noblesse qui dispose : de la puissance d'administrer, du droit de rendre la justice, de la richesse.

Cette supériorité réelle ne dépend aucunement de l'opinion, la philosophie n'y a aucune prise, alors qu'elle en a beaucoup sur l'inégalité d'opinion.

2° — INÉGALITÉ D'OPINION. Le roturier respecte le noble « *par pure vénération* » sans considération d'intérêt ; le pauvre respecte le riche uniquement parce que le faste de celui-ci l'éblouit. Ce sont malheureusement les *grands* qui donnent l'exemple de ce respect qu'on accorde à la richesse. Ce sont eux qui sont responsables d'avoir détruit la considération due à la naissance, « *parce que le plaisir et les agréments l'emportent chez eux sur tout le reste* » et c'est chez les riches qu'ils trouvent ces agréments et ce plaisir. Pour les grands, c'est un crime d'être pauvre et ils traitent mieux un riche roturier qu'un noble pauvre. Si le respect dû à la naissance a diminué, c'est en définitive le luxe qui en est la cause.

Malesherbes rappelle ici quelques scandales qui ont malheureusement... illustré certaines grandes maisons et qu'on a cherché à étouffer. Or, dans plusieurs affaires criminelles, on a vu des juges avoir deux justices, l'une pour les grands, qu'ils absolvaient, l'autre pour le reste des hommes. On a épargné des grands parce qu'il ne fallait pas que le déshonneur atteignît les grandes maisons, mais on a fait exécuter de simples gentilshommes sans essayer de les sauver. En somme, l'impunité ne profite qu'aux grands et aux maisons puissantes.

Quant au respect accordé à la seule richesse, et qui ne devrait pas exister, peut-on dire que la richesse ayant une puissance réelle, il ne s'agit point là d'un respect de pure opinion ? Malesherbes ne le croit pas : « cette opinion existe, elle est généralement établie et c'est un des plus grands maux d'Etat ». Ici Malesherbes dénonce l'amour immodéré des richesses (produit par l'amour immodéré des plaisirs), l'attrait du luxe, la corruption que l'argent introduit dans la société et il affirme que nous sommes malheureux par le respect d'opinion qu'on accorde à la richesse. Mais comme la richesse possède en même temps qu'une supériorité d'opinion une supériorité réelle, la philosophie ne peut apporter à ce mal qu'un faible remède.

Que pourra donc faire la philosophie, celle d'un Rousseau, d'un d'Alembert, hommes à qui une existence indépendante permet de mépriser le faste ? Tout simplement ruiner le sentiment d'humiliation qui a été jusqu'à présent attaché à la pauvreté, et supprimer le préjugé de supériorité qui s'attache à la richesse, faire évoluer les mœurs et l'opinion de façon telle que la richesse et le faste ne soient plus un perpétuel objet d'envie.

En terminant, Malesherbes signale une faiblesse de caractère dont fut affligé un grand homme qu'il aime et respecte. *Le président de Montesquieu avait,* dit-il, *très fortement ancré en lui, le préjugé de la naissance ;* il évitait de le montrer, mais ne perdait pas une occasion de plaider dans ses ouvrages la cause de la noblesse.

Enfin, prenant le contrepied de Sarsfield qui avoue sa sympathie pour le gouvernement féodal, Malesherbes qualifie un tel gouvernement de tyrannique et d'absurde : « *les lois ne peuvent rien contre la puissance d'un homme qui est le seul juge et le seul armé* ».

N.B. — Malesherbes fait allusion à plusieurs affaires criminelles où furent compromis des « grands » ou de simples gentilshommes. Parmi ces affaires, nous en rappellerons deux : l'affaire Mauriat et l'affaire Pleumartin.

Mauriat, gentilhomme de Franche-Comté, ancien officier, apparenté à M. de Bissy, au duc de Châtillon, gouverneur du Dauphin, au duc d'Harcourt, neveu du prieur de l'abbaye de Saint-Claude, fut décapité le 15 décembre 1738 pour avoir assassiné une femme (Voir *Journal de l'avocat Barbier*, t. II, pp. 208 et suiv. où le crime (1) se trouve raconté).

Quant à Victor-Marie-Nicolas Isoré, marquis de Pleumartin, issu d'une grande famille poitevine (2) qui avait une seigneurie proche de Châtellerault, c'était une sorte de Barbe-bleue qui avait commis de nombreux crimes (George Sand s'en inspira plus tard pour camper son Mauprat). Décrété d'arrestation en janvier 1755, il se retrancha dans son château investi par la maréchaussée ; il tua M. de la Salle, son ami, qui commandait le détachement chargé de l'arrêter. Traqué de chambre en chambre, il fut finalement pris. Son procès eut lieu à la fin de l'année 1756 ; condamné à avoir la tête tranchée, on lui épargna, comme l'indique Malesherbes, le supplice public et il fut étranglé dans sa prison. Son manoir fut rasé ; il n'en subsiste qu'une vieille tour. (Cf. *Journal du marquis d'Argenson*, t. VIII, p. 409).

à Monsieur le Comte de Sarsfield.

à Baville, ce 28 novembre [1766]

(*de la main de Malesherbes, sauf le millésime*)

J'ay reçu votre lettre, mon cher Sarsfield, en partant de Paris, je ne l'ay pas appostée icy, ainsi je ne vous feray pas de reponse precise, d'ailleurs il est inutile de nous tourmenter pour discuter des questions qui l'ont esté et le seront

(1) Ce crime était vraisemblablement d'ordre passionnel ; il semble avoir été commis sous l'empire de la colère, sans aucune préméditation. Mais on voulait faire un exemple et toutes les démarches de la famille furent vaines.

(2) Il était neveu du duc de Biron et beau-frère de M. de Bonac, ambassadeur à La Haye, celui que J.-J. Rousseau avait connu à Soleure. Les plus hautes influences furent mises en jeu pour le sauver.

encore par des gens qui ont plus de tems que nous pour y mediter.

Cependant comme j'en ay actuellement le loisir, je vous assureray que je ne regarde point du tout comme récrimination ce que vous me dites sur les gens de robe. Je crois meme avoir posé des principes d'apres lesquels ils doivent estre compris dans la classe des grands qui n'ont que trop de pouvoir : ce sont les gens de la Cour dont je vous ay le plus parlé parce que j'argumentois contre vous et que je crois que c'est pour eux que vous souteniez, chose en quoy vous vous trompés peut être car je crois aussi que c'est pour la noblesse, pour le corps féodal qu'est votre inclination, et vous ne vous appercevés pas que la cause que vous soutenés est celle des grands qui sont une classe d'hommes très distincte. C'est ce que nous allons discuter.

Quant à moy je soutiens toujours que la consideration pour les grands n'est que trop forte et le devient tous les jours d'avantage. Ce que vous me dites du pouvoir des gens de robe en est une preuve de plus et des plus frappantes, je vous donneray meme sur cela des memoires plus étendus que ceux que vous avés.

Quand vous voudrés, je vous attesteray par exemple qu'ayant passé une fois dans ma vie un mois dans une de ces villes ou le Parlement est tout, c'estoit à Toulouse, j'observay, quoy que je fusse alors fort jeune, qu'un fils de president à mortier auroit pu y estre tapageur presque aussi impunement que M. le C. de Charolois dans sa jeunesse auroit pu l'estre à Paris. Je ne suis pas sur de ne pas me tromper dans mon sentiment, parce que je n'ay pas la pretention de l'infaillibilité, mais je suis bien sur qu'aucun esprit de corps ne m'a fasciné les yeux parce que je scais très bien que je suis d'un des corps qui peut le plus abuser et qui abuse le plus réellement de son authorité et de sa consideration.

J'ay soutenu et je soutiens encore qu'une philosophie qui rapprocheroit les hommes de l'égalité autant qu'il est possible seroit le plus grand bien ou du moins un des plus grands qu'on put faire aux hommes. Malheureusement nous en sommes bien eloignés.

J'ay regardé et je regarde encore le gouvernement feodal comme une tyrannie multipliée et rendue sensible à tous les individus d'un etat et je suis bien aise de vous dire qu'en cela presque tout le monde est de mon avis dans ce siecle cy.

Pour l'authorité des magistrats et celle des gens riches, ce sont des maux necessaires, mais je pense que ce sont des maux reels, et le principe de l'egalité des conditions ne me plaît autant que parce qu'il s'oppose à l'exces de cette authorité plus encore qu'à celle de la noblesse. Je ne crois pas cette question bien difficile à eclaircir quand on voudra la discuter methodiquement et de bonne foy, mais il faut commencer par distinguer et definir, sans quoy on ne s'entend point.

Il y a une inegalité reelle, et une inegalité d'opinion. Ce n'est que sur la seconde que les ouvrages et les declamations des philosophes peuvent influer, ainsi ce n'est que celle la que nous avons à examiner, il ne faut que bien definir la premiere pour l'ecarter de notre discussion.

INÉGALITÉ RÉELLE

1°) La puissance donne partout de la superiorité aux administrateurs de l'etat : ce sont dans une republique les aristocrates et leurs parens, dans une monarchie, ce sont les satrapes et les affranchis de l'empereur, les bachas (1), et les eunuques du serrail, les ministres, les intendans et les maîtres des requestes, en un mot tout ceux qui ont du credit à la Cour.

Cette superiorité est reelle, ceux qui en jouissent sont gens dont on à à craindre et à espérer, ainsi aucune philosophie ne peut la detruire.

2°) Il est de meme de l'authorité des juges : elle est fondée sur ce qu'on n'a pas trouvé et qu'on ne trouvera pas de longtems le moyen de rendre des lois asses claires pour qu'il ne reste rien à l'arbitrage du juge. Un juge est donc necessairement un homme dont la fortune et meme la vie des citoyens depend dans quelques occasions.

3°) La richesse est aussi dans tous les pays une source d'inegalité reelle. J'etabliray ailleurs qu'elle cause aussi une grande inegalité d'opinion, mais independamment de cela, elle met certainement entre les hommes une distinction tres reelle, et cette inegalité est meme la plus etendue de toutes, c'est celle qui se fait sentir jusqu'aux hommes du dernier rang. Le paysan devenu assez riche pour n'estre plus manouvrier comme son pere et pour en faire travailler d'autres à la journée est dans son village une petite puissance et quelquefois ecrase les autres de sa superiorité.

Ces trois sources de puissance estoient reunies par la noblesse sous votre gouvernement feodal. Les nobles avoient la puissance d'administration puisqu'ils exercoient dans leurs terres des droits regaléens, et que le roy ne gouvernoit qu'avec son baronnage.

La noblesse faisoit rendre la justice non seulement en

(1) Bacha ou pacha, titre donné aux chefs militaires et aux gouverneurs des provinces de l'empire turc.

son nom, mais par ses ordres exprès, d'ailleurs elle estoit en possession d'exercer les voyes de fait et les loix se taisent toujours devant la violence.

Enfin elle avoit toutes les richesses puisqu'elle avoit les terres et qu'il n'y avoit alors ny finances, ny commerce ou que le peu de commerce qui existoit, estoit dans la main des juifs et des lombards (2) qui estant traités alors dans toute la chretienté comme les juifs le sont aprésent en Pologne ne pouvoient partager ny la consideration ni l'authorité. Ce sont tous ces moyens de tyrannie reunis dans la meme main qui faisoient du droit feodal le plus vexatoire, suivant moy de tous les gouvernemens.

Pour en revenir a la suite de notre raisonnement, les trois causes de la puissance que je viens d'exposer ne dependent aucunement de l'opinion. Ainsi, la philosophie n'y à aucune prise. Ce n'est qu'en dénaturant à beaucoup d'egards la constitution d'un etat qu'on pourroit y apporter quelque changement. Aussi n'est ce ny la mode ny l'opinion qui à d'abord adouci et ensuite totalement esteint le gouvernement feodal. C'est d'abord l'etablissement des juges royaux, ensuite la multiplication des appels, depuis la jurisdiction prevotale, les grands jours, les marechaussées enfin le grand coup y a esté porté quand des troupes soudoyées, enregimentées et disciplinées ont rendu inutile le service de fief.

Ecartons donc tous les differens genres de superiorité reelle auxquels nous n'avons pas à remedier et passons à la superiorité d'opinion qui est l'objet de notre dispute.

---

(2) On donnait ce nom, au Moyen Age, en France, aux financiers et aux changeurs, parce que les premiers et les plus importants d'entre eux étaient venus de Lombardie. Ils exerçaient souvent l'usure.

INÉGALITÉ D'OPINION

La voicy en deux chapitres :

1°) Un roturier respecte un noble et encore plus un grand, et le simple noble respecte l'homme de qualité non seulement par interest ou par crainte mais aussi par pure veneration.

2°) Un pauvre respecte un plus riche que luy indépendamment du bien qu'il en peut attendre, uniquement parce que le faste l'eblouit. Vous allés me dire qu'il faut conserver le premier de ces deux cultes et détruire le second autant qu'il sera possible.

Je vous diray quant au premier que ce n'est point la philosophie de nos quakers modernes qui diminue les hommages rendus à la noblesse. Ce sont les grands que je vous ay annoncé que je distinguerois toujours de la noblesse, ce sont eux qui donnent l'exemple de cet oubli de la puissance parce que sans s'en douter ils marquent dans mille occasions plus d'égards à la richesse qu'à la vieille chevalerie. Et cela non seulement par le besoin qu'ils ont des gens riches, mais aussi parce que cet homme riche elevé comme eux, à le meme ton qu'eux, et est pour eux d'une société plus agréable. Je scais qu'ils tiennent des propos amers contre les parvenus, mais avec cela M. de Villette qui à pris à Paris le ton de la bonne compagnie sera mieux traité à quelques egards chez un prince du sang qui tient un etat à l'armée, que ne le seroit l'heritier du nom de Coucy qui auroit esté elevé dans un village. Ce dernier obtiendroit à la verité des faveurs d'etiquette et apres ce devoir rempli, il seroit oublié et l'homme de rien qui à esté bien elevé sera admis dans la familiarité s'il n'a pas la maladresse de se faire chasser par son exces d'impertinences.

Les grands qui ne perdent jamais leur puissance par ce qu'elle est reelle et qui sont faits pour donner le ton à l'opinion publique ont donc à se reprocher plus que personne d'avoir detruit la consideration due à la naissance, parce que le plaisir et les agremens l'emportent chès eux sur tout le reste. Ce sont donc les mœurs effeminées, l'elégance, le luxe qui ont degradé la noblesse en meme tems qu'ils l'ont exercée, et une philosophie vigoureuse qui rameneroit les mœurs plus austeres feroit bien plus de bien reel à la noblesse que vous ne croyés qu'elle luy à fait de mal.

Vous me nierés ce que je vous dis de l'opinion des grands, parce que vous la trouverés contraire aux discours que vous leur entendés tenir et que l'hypothese que je vous ay présentée n'est pas asses frappante pour ne pouvoir pas estre contestée. Hé bien je vous repondray non par des discours ny par des hypotheses, mais par un fait que je crois sans replique. Me nierés vous que dans le sejour des grands et qui devroit estre celuy de la noblesse, dans le sejour du roy meme, à la cour, dans ce pays ou les plus grands corps de l'etat, les capitaines des gardes, les premiers gentilshommes, les grands officiers de la couronne sont les dispensateurs de tous les honneurs, me nierés vous qu'aujourd'huy encore un habit uniforme y soit reputé un habit malhonneste ? Tout ce que vous pouvés me dire c'est que chacun en particulier convient que cette opinion est absurde, que c'est une inconsequence avec tout le reste et qu'il arrivera tost ou tard que l'opinion contraire prevaudra. Tout cela m'est indifferent. Je ne considere icy ce qu'on pense de l'habit uniforme que par le sentiment qui y à donné lieu. Or, ce sentiment gravé dans le cœur des grands plus que de personne, parce que les grands sont plus accoutumés au faste que personne, ce sentiment dis-je est que le mepris est le partage de la pauvreté, et que le crime d'estre pauvre ne peut estre reparé ny par la naissance ny meme par le merite excepté dans quelques cas fort rares c'est à dire quand c'est une naissance tout à fait hors du commun ou un merite trés eclatant.

Enfin pour que vous ne croyés pas que j'outre ma these, je conviendray bien avec vous qu'à richesse egale et meme sans qu'elle soit egale, l'homme de condition asses à son aise pour vivre dans le monde est traité des Grands tres differemment de l'homme de rien. Mais je dis que le noble tout à fait pauvre n'est pas si bien traité d'eux que le riche tout à fait roturier.

J'avois à vous prouver que ce ne sont point les opinions philosophiques qui diminuent le respect du à la naissance. Je crois avoir bien rempli ma tâche et avoir bien defini la veritable cause de ce changement introduit dans nos mœurs. Cette cause est le luxe.

J'ay actuellement à examiner la seconde superiorité d'opinion qui est celle de la richesse, mais auparavant, c'est le lieu de discuter un mot que je vous ay dit dans ma premiere lettre, que vous avez relevé et qui est trop important pour estre oublié.

J'ay avancé que quelques evenemens publics avoient fait faire plus de progrés à la tyrannie des grands en peu d'années que la philosophie de l'egalité ne pourroit y apporter d'obstacles en un siecle, et je vous l'ay prouvé par de trop funestes exemples tirés des avantures malheureuses de plusieurs grandes maisons.

Vous m'avés repondu autant qu'il m'en souvient qu'on ne pouvoit point desapprouver qu'on ait cherché à epargner à ces grandes maisons le deshonneur qui auroit resulté de l'execution des loix.

Vous pourriés actuellement me faire encore une autre objection, c'est que j'entre en contradiction avec moi meme puisque j'etablis aujourd'huy que les Grands contribuent plus que personne à degrader la noblesse et que je soutenois alors que les puissances de la cour retablissoient en faveur de la noblesse la consideration la plus absurde et la plus prejudiciable à la sureté des citoyens. Je vais repondre à tout cela à la fois.

Je commence par une reponse tres courte et tres decisive. La preuve que cette impunité scandaleuse est un mal tres reel, c'est que les crimes impunis sont devenus reellement plus communs et ne vous fachés pas si je vous rappelle encore le gouvernement feodal et qu'un grand seigneur fit assassiner un homme de rien qui luy avoit manqué avec la plus grande insolence, c'estoit alors une peccadille, et voila l'etat où on nous ramene insensiblement. Mais examinons la question dans un plus grand detail.

Je ne suis point asses extravagant pour blamer de grandes maisons d'avoir fait tous leurs efforts pour etouffer des affaires malheureuses. Je ne trouve pas meme etonnant qu'elles y ayent reussi. Il y à pour cela des moyens, il y en à dans tous les pays, il y en à eu dans tous les tems, les loix les plus severes ne peuvent y obvier. Il n'est meme que trop vray que ces moyens sont entre les mains de la richesse autant que de ces grandes maisons, et ces moyens ont toujours consisté à faire disparoitre les preuves.

Mais en quoy consiste le scandale, c'est en ce que les juges assis sur le tribunal ont osé admettre une distinction inique tirée de la personne des accusés, distinction accablante pour le peuple qui croyoit qu'au moins en matière criminelle et surtout quand il s'agissoit de peines capitales, la justice estoit egale pour tout le monde, distinction encore plus funeste dans ses consequences parce qu'elle n'est fondée que sur des considerations arbitraires, dont on fera par la suite l'application qu'on voudra.

Vous me dirés que cette injustice est du fait des juges. J'en conviens. Elle vient principalement de ce que ces juges sont aussi une espece de grands et qu'ils ne sont si touchés du deshonneur de ces grandes maisons, que parce qu'ils envisagent que leurs familles sont exposées à de pareils malheurs. Elle vient aussi de ce que le gouvernement actuel à desiré approuver, appuyer cette condescendance, enfin elle vient d'un reste d'opinion en faveur du gouvernement féodal qui n'est pas encore tout à fait detruite, mais il seroit bien à desirer qu'elle le fut et que le dogme de l'egalité des conditions put y contribuer.

Sans m'etendre sur cela dans de longs raisonnemens, la voix de l'humanité s'elevera toujours en faveur de mon sentiment. Mais de plus j'ay à vous observer que ce privilege si contraire au droit naturel, n'est point etabli en faveur de la noblesse mais seulement en faveur des grands, ainsi je ne me contredis point et il est toujours vrai que les grands ne travaillent que pour eux-memes.

Ce grand à echapé au supplice par l'iniquité du juge, le fils d'un fermier general y aurait echapé de meme par la subornation des temoins, mais le gentilhomme irlandois qui assassina un avocat il y à quelques années, à esté roué en place de greve, il avait cependant aussi bien [servi] (3) le roy à la guerre qu'aucun homme de la cour et avoit servi son prince avec le plus grand zele en Ecosse. Ne dites pas

(3) Nous rétablissons ce mot qui a été omis.

que c'est à cause de la faveur accordée par les juges à l'ordre des avocats car je vous ajouteray encore ce M. de Mauriat à qui nous avons vu trancher la teste pour avoir tué une p... Non seulement ces deux gentilhommes et beaucoup d'autres ont esté executés mais on n'a pas seulement imaginé qu'il fût possible de les sauver. Et M. de Pleumartin auroit esté executé comme eux s'il n'avoit esté qu'un homme de condition, mais il appartenoit de tres près à des Grands. C'est pourquoy on l'a consideré en partie comme un grand luy-meme et on à pris une tournure mitoyenne par laquelle son supplice n'a esté que la mort d'un mauvais sujet et non un exemple ny une satisfaction pour le peuple qui l'attendoit.

Il est donc certain que l'impunité ne profite réellement qu'aux grands et aux maisons puissantes, or ceux-la ont trop de superiorité reelle pour qu'il soit necessaire d'etablir en leur faveur cette superiorité d'opinion.

Passons actuellement à ce que j'ay appellé le second chapitre, c'est à dire un respect accordé à la seule richesse. Tout le monde conviendra qu'il ne devroit pas exister, excepté quelques personnes, qui y sont tres interessées et qui n'oseroient pas meme le dire en termes expres.

On pretendra peutetre que ce respect de pure opinion n'existe pas et que la richesse n'a pour elle que la puissance reelle. Je soutiens moy le contraire. Cette opinion existe, elle est généralement etablie et elle merite qu'on y fasse la plus grande attention, car c'est un des plus grands maux de l'etat, et le seul auquel la voix des philosophes puisse apporter quelque remede.

Le plus grand malheur d'un etat est certainement la

misere du peuple, le second peutetre est le luxe des aisés. Le luxe n'a pas encore une definition bien constante. Ce que j'entends par le luxe d'un etat ne consiste point en ce que chacun depense beaucoup, mais en ce qu'on veuille depenser plus qu'on n'a. Or le luxe ainsi entendu à sa cause dans le respect qu'on à pour la richesse.

D'où vient l'aneantissement de l'emulation dans tous les etats ? C'est que personne ne cherche qu'à avoir de l'argent parceque le respect accordé à la richesse est si reel que tout le reste n'est rien en comparaison. Plus d'honneur dans le militaire, ny dans la robe, ny meme dans les charges de la cour parceque la superiorité de richesse gate toutes les personnes et eclipse toutes les autres distinctions.

D'ou vient la langueur dans le commerce, c'est qu'on ne veut avoir l'argent que pour le depenser avec profusion, et que par cette raison il faut l'avoir promptement et n'y point employer les moyens lents et l'economie necessaires au commerce. Un bon commerçant sera consideré sur la fin de ses jours quand il sera devenu riche, mais il aura esté meprisé jusques la, parce qu'on meprise egalement la pauvreté, la frugalité et la modestie. Or, aucune ame honneste ne souffre longtems le mepris.

D'ou vient que tous tant que nous sommes, gens qui n'avons jamais senti la misere physique, c'est à dire la faim, la soif, ny les injures de l'air, d'ou vient cependant que nous sommes presque tous malheureux ? C'est que tout le monde est pauvre, parceque tout le monde à devant ses yeux un plus riche que soy, ou ce qui revient au meme, un homme qui fait plus de depense sauf à estre ruiné au bout de quelques années, et que les mœurs et l'opinion sont telles que quelque parti que nous prenions, cette superiorité de richesse nous humilie.

L'amour immoderé des plaisirs produits nécessairement l'amour immoderé des richesses. Ce n'est pas la ce que j'ay à combattre, puisque c'est une passion réelle sur laquelle l'opinion ne peut rien, mais tout le monde n'est pas dominé par cette passion malheureuse, la pluspart des hommes en ont d'autres et il y en à peu qui soyent absolument exempts de toutes passions.

Or si nous sommes vains, la vanité journalière ne se repait que d'un faste, mal proportionné à nos facultés.

Si nous sommes ambitieux, les grandes faveurs de la fortune s'obtiennent à la verité par des moyens differens de la grande depense, mais elles ne s'obtiennent que par ceux qui se mettent sur les rangs et on ne peut s'y mettre qu'en se faisant connoitre par une depense trop forte pour la pluspart de ceux qui aspirent aux memes graces. Si nous ne sommes sensibles qu'à l'opinion des hommes, nous scavons qu'à moins de talens tres singuliers et tres rares, on n'est consideré qu'à proportion de l'etat qu'on à dans le monde.

Si nous avons les passions les plus naturelles à l'humanité, celles qui en sont l'objet ne font souvent de cas de nous qu'autant que nous attirons les regards par notre luxe.

Enfin si nous avons la simple honnesteté de craindre la note d'infamie attachée à l'avarice, nous nous trouvons souvent devenus prodigues sans cupidité.

Dans tous ces cas et dans bien d'autres, nous ne sommes malheureux que par le respect d'opinion qu'on accorde à la richesse.

Ne vous y trompés pas, mon cher Sarsfield, ce n'est qu'à cela seul que la philosophie peut apporter quelque remede et malheureusement elle n'en apportera jamais un bien efficace parce que la superiorité reelle de la richesse soutiendra toujours la superiorité d'opinion.

Il me paroit cependant certain que si Rousseau, d'Alembert, et quelques autres hommes de la meme etoffe, qui, eux personnellement n'ont pas grand merite à mepriser le faste, parcequ'ils ont une grande existence qui en est independante, si ces gens là dis-je, parvenoient néanmoins par leur eloquence à persuader qu'on peut dire avec confiance : je suis pauvre et je vis en pauvre, enfin, s'ils pouvaient faire mettre en pratique cet axiome qui est dans la bouche de tout le monde et qui n'est dans le cœur de presque personne, *pauvreté n'est pas vice,* dès lors quantité de gens qui sont actuellement pauvres et malheureux par opinion, se trouveroient riches comme Cresus, dès lors tous leurs talens, tous leurs ressors, toute leur activité pourroient estre employés à des choses honnestes et utiles à l'etat, au lieu d'estre avilis par le desir sordide d'amasser de l'argent.

Voilà ce que la philosophie moderne tend à etablir, et voilà à quoy vous vous opposés par la crainte que vous avés que la noblesse n'en recoive quelque atteinte. Mais songés, et voicy je crois le mot decisif ; que si Rousseau avoit dit tout simplement je meprise la noblesse on luy auroit repondu : vous estes un insolent, vous ne la meprisés que parce que vous ne pouvés pas l'acquerir, ou plus tost on ne l'auroit pas remarqué parce qu'il n'y à pas un caissier à Paris ou à Lion qui ne scache en dire autant. Mais il à dit je meprise la richesse et je dedaigne des moyens par lesquels je pourrois en acquerir. Des lors il à fixé l'attention du public parce que cela est réellement tres singulier. Qu'il ait outré la chose, qu'il se soit contredit dans sa conduite, tout cela est personnel à l'homme et il seroit facheux que ses fautes decreditassent ses principes.

En effet, s'il estoit possible que ces principes fissent jamais fortune à un certain point, voyons ce qui en resulteroit dans la societé.

Le ministre ou le sou-ministre seroit toujours puissant ; mais l'homme qui veut estre libre peut se soustraire à cette puissance en ne demandant rien, et tout le monde peut ne demander rien quand il sera honneste de vivre de peu.

Les juges auront toujours de l'authorité parce qu'ils en ont partout. On pourroit peutetre la diminuer par des loix plus claires et plus courtes, mais sans nous egarer dans des projets, je vois dans l'etat actuel qu'on n'a pas des proces tous les jours de sa vie, et quand on en à la multiplication des tribunaux et la multitude des juges dans chaque tribunal font qu'on n'est pas toujours jugé par les memes *personnes* (4) et qu'un seul juge ne fait pas le jugement : ainsi un juge n'est pas encore un homme de qui on puisse dire qu'on depend.

Les gens riches auront toujours aussi beaucoup de puissance, mais celui qui ne se soucie pas de partager la jouissance de leurs richesses n'a aucune bassesse à leur faire. On n'aura meme rien à leur envier lorsque les mœurs et l'opinion seront venus au point que le faste des uns ne sera pas une humiliation continuelle pour les autres.

Il y aura donc toujours de la subordination aux differens genre de puissances parce qu'il y aura toujours des gens qui s'y soumettront volontairement. Mais celuy qui pourra vivre de son patrimoine ou qui scaura vivre de son travail sera réellement libre et indépendant s'il veut l'estre. Et voila ce que je vous ai annoncé comme le plus grand bien que la philosophie puisse procurer aux hommes

C.Q.F.D.

---

(4) Mot douteux.

Avant de finir j'ay encore deux faits à vous compter (*sic*). L'un regarde une grande maison par laquelle je vous ay dit qu'il a esté commis depuis peu trois assassinats. C'est une erreur de fait que je dois m'empresser de reparer. J'ay eu tort de dire trois, il y en a quatre. J'en ay appris un autre depuis. L'autre fait concerne une grande authorité que vous pourriés alleguer en faveur du gouvernement feodal, c'est celle du P. (5) de Montesquieu qui marque de l'inclination pour ce gouvernement.

Sur cela voicy une anecdote que peu de gens scavent. Le P. de Montesquieu estoit homme de condition, connu pour tel dans sa province, mais tres peu à la Cour et à Paris, ou la qualité de president ne previent pas favorablement sur la naissance. Or, il en estoit fort occupé à ce que j'ay entendu dire à gens qui l'ont bien connu je peux dire meme que c'estoit une espece de manie pour un homme comme luy, car cela n'ajoutoit rien à son existence. Les contradictions qu'il avoit eprouvées sur cela quand il se fit connoitre dans la capitale n'avoient fait qu'irriter le desir qu'il avoit eu d'estre bien reconnu pour ce qu'il estoit. Il avoit trop d'esprit pour laisser paroitre cette faiblesse ou plustost je devrois dire qu'il estoit trop sensé pour cela. Car Voltaire à bien autant d'esprit que luy et s'il estoit né gentilhomme, il feroit si bien que cela se trouveroit à chaque chapitre de ses ouvrages. Pour le P. de Montesquieu, comme il estoit rempli de ce sentiment, il ne perdoit pas d'occasions de plaider la cause de la noblesse en homme qui y prend interest : cela n'est pas assés grossier pour estre remarqué par ceux qui ne sont pas au fait, mais quand on lit ses ouvrages avec cette clef, il est aisé de s'en appercevoir.

Enfin, il me reste à vous dire quant au gouvernement

(5) Président.

féodal que je peux bien me tromper sur les tems (6) parce que j'ay trop peu etudié notre histoire et je ne serois pas etonné que vous me fissiés voir que ce gouvernement estoit toute autre chose que ce que je me figure. Mais vous ne me prouverés pas que ce gouvernement estant tel qu'il m'a paru estre, ce ne soit pas un gouvernement tyrannique et absurde. Vous ne me persuaderés pas non plus que les loix y apportassent aucun frein parce que je croiray toujours que les loix ne peuvent rien contre la puissance d'un homme qui est le seul juge et le seul armé.

Au reste, cela est indifferent aux sentimens de Rousseau et des autres philosophes parce que le gouvernement feodal estoit une puissance tres reelle, et trop reelle et non une simple superiorité d'opinion.

***

AFFAIRES CONCERNANT LE TESTAMENT DE M. DE SARSFIELD

Cela ne concerne que quelques ouvrages qu'il avoit laissés manuscrits et qu'un anglo-américain de ses amis, qui en avoit connaissance, vouloit que je demandasse à sa famille pour les faire imprimer.

Les démarches que j'ai faites pour en avoir connaissance ont eté inutiles. Madame de Damas, sa nièce, ne les a point eus : il les a laissés à ses trois exécuteurs testamentaires dont deux qui sont : M. d'Anjou et M. de Lénart, qui n'ont pas eu le temps de s'en occuper. Le troisième, qui est M. Hérault de Séchelles, alors avocat général du Parlement, s'en est emparé ; et je n'ai point avec lui de liaison qui me mette à portée de lui en demander communication.

(*Note de Malesherbes ; écriture d'un secrétaire*).

---

(6) On peut lire aussi *faits*.

CHAPITRE TROISIÈME

La Disgrâce et l'Exil

(1771 - 1774)

LETTRE DU 22 MARS 1771

Cette admirable lettre a été écrite dans les jours dramatiques qui ont suivi la destruction du Parlement et précédé de peu la suppression de la Cour des Aides. On se reportera à notre *Malesherbes, témoin et interprète de son temps*, 1re partie, chapitre IX, II, pp. 235 et suiv.

Le 22 mars est le jour où la Cour des Aides avait refusé d'assister à la messe commémorative célébrée en l'église du grand couvent des Augustins en souvenir de la soumission de la Ville de Paris à Henri IV, pour protester contre la présence à cette cérémonie des membres des Conseils supérieurs remplaçants des authentiques parlementaires. Et en cette même journée la Cour des Aides, sous la présidence de Malesherbes, avait rendu un arrêt capital qui était une véritable déclaration de guerre et qui allait mettre le comble à la colère du Roi et de Maupeou (Cf. *ibidem*, p. 243).

A partir de ce moment, Malesherbes ne se fait plus guère d'illusion sur le sort qui l'attend. Il sait qu'il peut être d'un jour à l'autre privé de sa liberté et envoyé en exil. Cette lettre, écrite le soir de ce 22 mars, est donc une sorte de testament du premier président de la Cour des Aides. A qui est-elle adressée ? peut-être à Bellanger ou à Dionis du Séjour (qui seront ses deux correspondants les plus intimes pendant ses années d'exil), plus probablement au président de Boisgibault qui était désigné pour présider la Cour au cas où Malesherbes en serait empêché.

Malesherbes espère encore qu'il sera le seul à payer et que l'existence de la Cour sera sauvée. Il recommande à ses collègues de ne pas intervenir en sa faveur et les conjure d'observer désormais la plus grande prudence, d'éviter toute démarche nouvelle qui pourrait servir de prétexte à la persécution. Il ne veut entraîner personne dans sa disgrâce ; il ne veut rien faire qui puisse exposer à la destruction le corps auquel il appartient. Il exhorte aussi ses collègues à ne pas se laisser griser par les applaudissements du public et l'approbation de l'opinion.

N. B. — *La Cour des Aides fut supprimée le mardi 9 avril et Malesherbes était exilé dans ses terres par une lettre de cachet de la veille.*

A Paris, ce 22 mars 1771.

(*date de la main de Malesherbes*)

J'ignore, Monsieur, quel sera mon sort. Je peux estre privé de ma liberté et je veux confier à votre amitié ce que je pense des partis que la compagnie auroit à prendre si cela m'arrivoit. J'espere que dans ce cas la vous voudres bien luy en faire part.

Je recommande à nos confrères comme le plus important de leurs devoirs de ne faire aucune démarche qui serve de prétexte aux despotes de la finance pour faire porter les coups les plus funestes à une cour dont l'existence leur est importune depuis longtems.

Je leur demande avec instance de ne pas oublier ce que j'ay pris la liberté de leur observer plus d'une fois et surtout dans l'assemblée de chambres de ce matin. *On peut et on doit meme hasarder son état et sa fortune quand le devoir et l'honneur l'exigent* (1). Mais notre devoir et notre bonheur n'exigent plus rien de nous depuis la démarche de ce matin et c'est l'existence de la Cour des Aides et non

(1) C'est nous qui soulignons.

celle de chacun de nous qu'on voudroit attaquer, or cette existence est trop intéressante pour l'etat pour qu'il nous soit permis de la hasarder.

Je ne demande pas qu'on ne fasse aucune démarche en ma faveur parce que cela n'est pas possible. Arrestés des deputations et des representations verbales, mais n'ecrivés point de remontrances dans lesquelles on cherchera avec malignité de quoy vous faire un crime. Vous avés fait ce matin le dernier acte utile que vous puissiés faire pour la cause publique.

Si a present vous vouliés inculper le chancelier à mon occasion, ou vous opposer avec force à la radiation de vos arrestés ou à d'autres démarches du gouvernement, vous n'en retireriés jamais un avantage proportionné au danger de donner prise à vos ennemis.

Il en seroit de meme des poursuites qu'on pourroit faire contre l'intendant de Champagne ou dans les affaires du même genre qui se presenteront.

Vous n'avés plus rien à apprendre au public. Il connoit suffisamment celuy qui vous persecute et les instrumens qu'il employe. Les faits particuliers que vous mettriés en evidence ne seroient jamais connus du roy et n'ajouteroient pas assés à l'indignation publique pour exposer un corps aussi precieux à l'état que la cour des aides.

Enfin Monsieur, j'exhorte ceux qui ont confiance en mes conseils à rester dans l'inaction a present qu'ils ont fait tout ce qu'ils peuvent faire et à ne se pas laisser eblouir par les applaudissemens publics et par l'éclat d'une résistance inutile, et je conjure ceux qui m'honorent de leur amitié de ne me pas laisser le reproche eternel de vous avoir engagés dans des demarches dont l'issue seroit funeste au corps et aux particuliers.

Je vous ouvre mon cœur, Monsieur, avec la sincerité que vous me connoissés et que je vous dois. Je crains les remords et je porte peut etre cette crainte jusqu'à l'exces, mais je n'en ay pas beaucoup d'autres. Si dans cette occasion cy, je pouvois estre assuré que je n'aurai fait partager ma disgrace à personne, je serois sans aucune inquiétude. C'est donc de vous et de nos confrères que dependent entierement le bonheur et la tranquillité du reste de ma vie.

(*Pas de nom de destinataire. Peut-être à M. de Boisgibault ?*)

PROJET DE LETTRE AU ROI
(pour les Princes du sang)

Dans la lutte de la magistrature contre le pouvoir, les princes du sang avaient fait preuve d'une courageuse attitude : ils avaient solennellement protesté contre l'édit du 3 décembre 1770, contre les lettres patentes du 23 janvier et contre l'édit du 23 février 1771 qui supprimait les Parlements et transformait l'administration de la justice. Sans toutefois renier leur prise de position antérieure, le duc d'Orléans et le prince de Condé souhaitaient rentrer en grâce auprès du Roi. C'est ce qui ressort de ce projet de lettre — qui est avant tout une déclaration de soumission et que Malesherbes, selon toute vraisemblance, avait été chargé de préparer.

Projet de lettre [au Roi].

Sire,

Il est affreux pour nous d'estre tombés dans votre disgrâce, mais V.M. n'exige pas que nous nous laissions dicter jusqu'aux termes dont nous nous servons pour luy exprimer nos sentimens, elle preferera toujours le langage de notre cœur à une lettre concertée.

Il y à longtems que nous aurions fait une demarche si elle nous eut esté permise, et depuis qu'on nous a flattés qu'elle pouvoit estre agréee de V.M. nous nous sommes rendu compte de nos sentimens actuels et de notre conduite passée, et nous nous suffisons à nous-memes pour marquer à V.M. la profonde douleur que nous ressentons d'estre privés du bonheur de la voir et notre desir ardent de recouvrer ses bontés.

Dans d'autres tems nous aurions cru inutile d'y joindre les assurances de notre soumission mais puisqu'on à du la revoquer en doute nous devons assurer V.M. quelle est et à toujours été *entiere et sans reserve* (1), et nous nous expliquerons toujours sur cet objet dans des termes plus clairs et plus précis que ceux qu'on voudroit nous suggérer.

Ouy, Sire, nous avons esté toujours soumis à votre volonté sans examiner si elle seroit perseverante, et nous nous sommes intéressés au maintien de votre autorité. Daignés croire que les princes de votre sang ne consultent point leur interest lorsqu'il est question de leur devoir.

Quand notre façon de penser a eté differente de celle qu'on avoit fait adopter à Votre Majesté et que nous avons cru de notre devoir de le declarer, nous n'avons point cherché à susciter des obstacles contre l'execution de votre volonté, et ce n'est jamais que de V.M. seule que nous attendons qu'elle rende un jour justice à ce que nous avons regardé comme un monument de notre fidélité.

Nous aurions voulu, Sire, pouvoir nous dispenser de vous

---

(1) Souligné par Malesherbes.

rappeler cet acte par lequel nous avons eu le malheur de vous deplaire, mais cette explication nous est necessaire puisque notre conduite à esté si faussement interpretée à vos yeux.

Peut être la devons-nous à Votre Majesté elle-même et à tous les ordres de l'etat à qui notre disgrace et non notre protestation à pu donner l'idée d'une resistance de notre part qui n'a jamais existé, et cette derniere circonstance suffisoit seule pour nous determiner à une declaration authentique de nos sentimens.

J'ay un peu allongé depuis la frase de la fin : nous determiner à donner à V.M. cette declaration authentique de notre soumission, de notre respect, de notre attachement pour sa personne sacree.

ou si on l'aime mieux

ce témoignage eclatant de soumission, de respect, d'attachement pour sa personne sacree.

LETTRE DU 2 FEVRIER 1772

Comme nous l'avons écrit (*Malesherbes*, p. 259) une grave menace pesait, à partir du début de l'année 1772, sur les anciens parlementaires et membres de la Cour des Aides. A défaut d'une démission qu'on ne pouvait les forcer à donner, on voulait les contraindre à « *se faire liquider* », et l'on multipliait les pressions pour qu'ils se soumissent à cette mesure. On faisait même courir le bruit que la plupart d'entre eux avaient accepté la liquidation de leurs offices. Cette lettre du 2 février, probablement adressée au président de Boisgibault (« *l'ami d'Orléans* » : il est question, à la fin, d'un courrier pour Orléans), est à rapprocher des lettres du 7 janvier et du 6 février 1772 que nous avons publiées (*ibidem,* p. 259-260). Nous avons dit que Malesherbes avait varié sur le problème des liquidations : à l'époque où il écrit ces lettres, il dit n'être plus favorable à cette mesure : accepter ces liquidations que souhaite le pouvoir, ce serait « dans ce moment cy une démarche ridicule et... presque déshonorante ». Plus tard, Malesherbes envisagera, sur ce problème des liquidations, une solution paresseuse qui consistera à se rallier à l'opinion de la majorité de ses collègues.

On remarquera ce qu'il dit ici du manque de personnalité du Roi qui se borne à répéter ce qu'il a entendu (1). On remarquera aussi l'allusion méprisante à l'espionnage auquel il est lui-même constamment en butte.

Quant aux fermiers généraux qui demandent le rétablissement de la Cour des Aides, Malesherbes ne croit guère à leur sincérité et il dénonce leurs arrière-pensées. Même note dans la lettre du 6 février, plus détaillée encore sur cette question : « Les fermiers généraux font des démarches, il est vrai, mais ils ne les font que dans l'espérance qu'au lieu de la Cour des Aides, on leur donnera pour juges des commissaires à leur dévotion. » D'ailleurs, ajoute-t-il, « personne de ceux qui gouvernent ou de ceux qui manient les deniers du Roy n'a l'ame asses honneste pour vouloir serieusement le retablissement d'une Cour faite pour dévoiler les concussions ».

A Malesherbes, ce 2 février [1772].

N'ayés pas assés mauvaise opinion de moy pour croire que rien se traitait avec moy sans que vous en fussiés instruit, fallut-il vous envoyer un expres.

Depuis longtemps les propos qui me reviennent du ministere à dessein ont esté qu'on ne se soucioit aucunement des liquidations de la cour des aides et qu'on n'avoit besoin que

(1) Rapprocher ce qu'il dit dans une lettre secrète de la même époque, dont nous avons donné de longs extraits dans notre ouvrage (p. 264) : « Le Roi a eu l'indiscrétion de répéter tout haut ce qu'on luy avoit dit tout bas ».

de celles du parlement, parce que la cour des aides estoit une compagnie legitimement et juridiquement supprimée. Voilà ce qu'on disoit et il est vrai que depuis on à dit le contraire. Le roy à dit tout haut qu'il scavoit que la cour des aides entiere alloit se faire liquider toute à la fois. Ce propos tenu tout haut par le roy ne peut estre que la repetition de ce qu'on luy avoit dit tout bas, et cela prouve qu'on avoit dessein de nous faire sur cela des propositions, mais il est trop clair que ces propositions ne doivent nous estre faites que parce qu'on dit a present que les liquidations du Parlement ne *vont pas* [aussi] (1) vite qu'on le désire et qu'on à voulu leur donner un coup d'aiguillon.

Voila le joli employ auquel on nous destinoit. Aussi je ne crois pas que ces propositions ayent esté goutées par ceux de nos confreres à qui on les à faites. J'attends cependant sur cela des nouvelles qui doivent me venir des qu'il y aura une occasion sure.

J'imagine qu'ils auront scu que dans l'origine je n'estois pas fort opposé aux liquidations. Ils l'auront scu parce qu'ils scavent tout par leurs espions, peut-etre que je ne suis pas bien difficile à penetrer. Ils en auront conclu que cela venoit de ce que j'avois du desir personnellement de terminer l'affaire et en consequence ils m'auront marqué qu'ils ne s'en soucioient pas. Depuis, quand ils en ont eu envie, ils ont encore compté sur mes dispositions favorables et l'ont... (2) au roy parce qu'on luy dit toujours que tout s'arrange et que tout va finir, mais ils se sont bien trompés au moins en ce qui me regarde, et je crois qu'ils ne trouveront pas plus de facilité aupres du reste de la compagnie parce que reelle-

(1) Nous rétablissons ce mot.
(2) Un mot illisible.

ment dans ce moment cy ce seroit une demarche ridicule et je diray presque deshonorante. Voila, Monsieur, tout ce que je scais.

D'ailleurs, il est bien vrai que les fermiers generaux demandent le retour de la cour des aides mais je ne crois pas que ce soit avec esperance et je ne scais meme si c'est avec un desir bien sincere de l'obtenir. Je crois qu'ils en viendront à obtenir le renvoy de toutes leurs affaires et en general de toutes celles de la cour des aides aux intendans ou à d'autres commissaires du conseil. Voila ce qui sera un jour un grand malheur pour le public, et il est certain que si on nous offrait un moyen de l'empecher, nous *devrions* (3) au public de faire beaucoup de sacrifices de nos repugnances pour cela, pourvu cependant qu'on ne nous demandast que des choses possibles. Mais je crois que nous sommes bien eloignés d'avoir un parti à prendre la-dessus, et quand on à fait M. de Sauvigny (4) premier president du nouveau parlement, ce n'a pas esté surement pour donner jamais à la cour des aides les moyens de defendre le peuple contre les concussionnaires.

Je vous ecris cette lettre aujourd'huy parce que j'auray peut etre ce soir une occasion sure pour Orleans. Si je n'en ay pas j'attendray et je vous manderay par post scriptum les nouvelles que je recevray de Paris vraisemblablement jeudi prochain. Mais si cette lettre cy est partie plus tost je vous manderay seulement par la poste que mes depèches de Paris ne contiennent rien d'interessant, parce que je pense que reellement elles ne contiendront rien de ce genre.

Si cependant je me trompois et qu'il y eut dans ces nou-

---

(3) Mot douteux.

(4) Louis, Jean-Baptiste Berthier de Sauvigny, Intendant de Paris et Premier Président du Parlement Maupeou. Il fut en relations avec Voltaire.

velles quelque chose qui put vous interesser, je trouverois d'autres occasions pour vous en donner avis.

Adieu, Monsieur, vous connoissés tout mon attachement.

*
* *

LETTRE A MADAME [DOUET]
du 24 juin 1772

Cette longue lettre dont la destinataire nous paraît être Mme Douet, femme d'un fermier général, amie et confidente de Malesherbes (1), est écrite pendant l'exil, peu de jours avant la mort du Chancelier de Lamoignon. Elle développe tout un plan destiné à ouvrir les yeux du Roi, à le séparer du Chancelier Maupeou et à amener la disgrâce de celui-ci avec le rétablissement de la magistrature. Pour atteindre ce but, ce qui n'est pas (Malesherbes le sait bien) chose facile, il faut avoir recours aux Princes du sang — dont on connaît la véhémente protestation contre le coup d'Etat Maupeou, et en particulier au Duc d'Orléans (2) dont l'homme de confiance est M. de Belle-Isle (3). Il s'agit donc de préparer et d'organiser une rencontre entre M. de Belle-Isle et Bellanger, ancien avocat général à la Cour des Aides, qui est l'ami intime et le confident de Malesherbes (voir *Malesherbes, témoin et interprète...* 1re partie, chap. X, des extraits de la correspondance clandestine échangée entre Malesherbes et Bellanger pendant ces années 1771-1774).

Le plan de Malesherbes repose avant tout sur la connaissance qu'il croit avoir de l'âme de Louis XV, *avide d'autorité, attaché au despotisme,* mais qui sacrifiera Maupeou dès qu'on lui aura fait comprendre qu'il y a de meilleurs moyens pour affermir son autorité que les méthodes de force utilisées par le Chancelier.

Il faudra donc que les Princes s'adressent au Roi en adop-

---

(1) Et sœur de Mme Blondel, une amie intime de Turgot.

(2) Louis-Philippe d'Orléans (1725-1785), père de Philippe-Egalité ; vaillant militaire, fin lettré, très généreux, il jouit d'une grande popularité.

(3) Il ne s'agit pas du maréchal de Belle-Isle, ministre de la guerre en 1758, qui mourut en 1761, mais de son fils.

tant une tactique habile : ne pas heurter le Roi dans son penchant au despotisme, et le persuader que, s'ils ont soutenu la magistrature quand la cause de celle-ci était devenue la cause de la nation, en revanche, ils seront toujours les défenseurs de l'autorité royale contre les abus de la magistrature.

Malesherbes préconise cette tactique parce qu'elle lui paraît nécessaire pour « *détruire l'ouvrage d'iniquité qui existe* ».

Dans la deuxième partie de cette lettre, Malesherbes parle à sa confidente d'un mémoire tout récemment écrit (mais qu'il conviendrait de refondre si l'on voulait en faire usage) et qui traite du despotisme, régime qui est, dit-il, celui de la France actuelle. Il distingue deux sortes de despotisme : celui qui gouverne la France est le pire des deux ; il nous conduit au despotisme oriental, tyrannie sans frein et exempte de tout contrôle.

Dans ce mémoire, Malesherbes propose une réforme de l'administration, qui, sans nuire au despotisme, bénéficiera au peuple : il s'agit de rendre publiques toutes les opérations administratives qui se font depuis presque un siècle clandestinement. (C'est cette réforme qu'il préconisera au début du règne de Louis XVI dans les fameuses Remontrances du 6 mai 1775 (4) ; il s'agit aussi de soumettre toutes les opérations de l'administration au contrôle de députés, tant à Paris que dans les provinces.

Dans la suite, Malesherbes indique à sa correspondante en quoi ce mémoire peut être utile ou nuisible à l'entretien que son ami Bellanger aura avec M. de Belle-Isle. Il fait notamment remarquer que la première partie du mémoire ne devra pas être utilisée car il serait maladroit de paraître se résigner à l'établissement définitif du despotisme en France. Seule la seconde partie du mémoire pourra servir ; mais Malesherbes ne nourrit pas de grandes illusions sur le succès rapide de la négociation qu'il préconise. Néanmoins, même si la démarche des

---

(4) Cf. : *Malesherbes témoin et interprète...* Première partie, chap. XIII, p. 312-315. Malesherbes dénoncera dans ces Remontrances le despotisme des administrateurs, despotisme qui s'exerce clandestinement et qui s'efforce de dérober aux yeux du Roi et de dissimuler aux yeux du public les opérations de l'administration. Il y préconisera aussi la restitution aux Assemblées provinciales du rôle qu'elles n'auraient jamais dû cesser de jouer.

Princes est vouée à l'échec, il est bon qu'elle soit entreprise, car elle sera toute à l'honneur des Princes du sang dont le crédit et la popularité seront accrus, et d'autre part, il faut ménager l'avenir ; Malesherbes ne désespère pas de voir ses idées en matière d'administration triompher un jour : dans ce domaine comme en beaucoup d'autres il faut semer dès aujourd'hui pour moissonner bien des années plus tard.

A Malesherbes, ce 24 juin 1772.

(*date de la main de Malesherbes*).

J'ay attendu, Madame, le retour de M. de St Remi (1) pour vous ecrire et j'en profite pour vous marquer le desir que j'ay que M. Bellanger puisse causer avec M. de Bellisle. Voicy ce qui s'est passé à ce sujet depuis la lettre dans laquelle je vous ay deja fait cette proposition.

M. Bellanger est venu me voir. Je lui ay communiqué dans un tres grand detail nos idées sur la conclusion possible de nos affaires, et comme dans mes principes les princes doivent y jouer un role principal, l'idée de les communiquer à M. de Bellisle s'est présentée à luy. Il m'a dit qu'il le connoissoit un peu, qu'il l'avoit rencontré quelquefois chez M. de Palerme et que d'apres ce qu'il en pensoit et sa reputation, son... (2) seroit de luy faire part de tout ce que nous avons agité, pour en faire l'usage qu'il pourra quand il se trouvera des circonstances favorables, et sur cela il m'a demandé si moy même je connoissois M. de bellisle et si je consentirois de luy confier ce que je pense.

Ma reponse à esté que je ne refuseray jamais de m'ouvrir de rien avec un homme comme M. de bellisle, mais qu'il

(1) Intendant de Malesherbes.
(2) Un mot illisible.

faut scavoir auparavant s'il veut recevoir une confidence et qu'il seroit assés simple que le depositaire de la confiance de M. le duc d'Orleans craignit de se compromettre en entrant en conference sur des matières si delicates.

M. bellanger qui est un homme fort sage à très bien compris qu'on pouvoit avoir cette delicatesse. En conséquence nous sommes convenus que je ferois scavoir aux differentes personnes qui pourroient vouloir causer de tout cela avec moy que luy M. bellanger est le depositaire de toute ma confiance, et qu'il s'en ouvriroit avec ces differentes personnes sur tout ce que je luy manderois, mais que si c'estoit M. de bellisle qui desiroit de l'entretenir, tout estoit dit d'avance et qu'il pourroit luy faire part sans reserve de tout ce que nous avons dit et pensé.

Ainsi, Madame, M. bellanger n'ira point chercher M. de bellisle par discretion, mais il sera à Paris ou à une demie lieue de Paris pendant tout le mois de juillet, et si M. de bellisle à besoin de luy, il le trouvera sur le champ au lieu et au moment qu'on luy indiquera.

Si je ne vous envoye rien par ecrit, ce n'est pas, Madame, que je n'aye beaucoup ecrit, raturé, corrigé, effacé et recommencé, et le resultat de toutes mes ecritures et reflexions est precisement qu'on ne peut s'expliquer sur toutes ces questions que de vive voix.

Pour ecrire, il faut d'abord scavoir sur quoy on auroit à ecrire, il faut scavoir la situation actuelle ; je ne la scais pas estant eloigné et ceux qui sont au mileu du tourbillon ne scavent pas eux memes qu'elle (*sic*) sera demain la situation des affaires.

Je crois cependant important d'estre preparé à tous les evenemens ; le chancelier a deja esté fortement attaqué : il peut l'estre encore quoy qu'il soit triomphant aujourd'huy, et peut etre n'est-il triomphant que parce que dans le moment de l'attaque on n'a pas esté en etat de présenter au roy un plan qui put estre adopté sur le champ et dans lequel son authorité fut conservée.

Car dans le fait *le roy n'a pas une inclination particuliere pour cet homme, mais il a un grand attachement pour le despotisme, et une grande aversion pour les parlemens et pour les affaires que ces corps luy suscitoient* (3). Il croit que les operations odieuses du Chancelier estoient les seuls moyens de soutenir son authorité, et en cela je crois qu'il se trompe et qu'il y en à d'autres autant et meme plus efficaces et voila ce qu'on ne luy a peut etre pas fait voir en attaquant le chancelier.

Mais il à de plus une autre opinion qui est peut etre mieux fondée. C'est que les memes moyens d'affermir son authorité qui auroient esté praticables dans d'autres tems seront beaucoup plus difficiles dans le moment ou l'auteur des troubles actuels seroit disgracié.

En effet il vaut (4) avouer que des l'instant que cette disgrace sera scue, toute l'espèce d'armée levée par cet homme sera dissipée, que le roy sera donc dans la nécessité absolue et connue de tout le monde de rappeller les parlemens et s'il veut mettre des conditions à leur rappel, les parlementaires ne les accepteront qu'autant qu'ils le voudront parce que malgré tout ce qu'ils ont souffert leur courage ou plus tost leur confiance renaitra dans le moment qu'ils verront qu'on ne peut se passer d'eux.

Voila de quoy le roy est tres persuadé, et de quoy le chancelier s'est surement servi et se servira toujours avec tres grand avantage contre ses adversaires.

---

(3) C'est nous qui soulignons.
(4) Lisez *faut*.

C'est donc de lui oter une arme si puissante qu'il faut s'occuper et c'est de cela que M. bellanger parlera à M. de bellisle.

Voicy, Madame, en general, ce qu'il aura à proposer. Vous jugerés d'apres le peu de mots que je vais vous en dire si cette idée merite d'estre approfondie.

Je crois, ainsi que je vous l'ay dejà dit, que le roy à des moyens malheureusement trop faciles d'abattre la puissance parlementaire, moyens qui ne sont fondés ny sur l'infraction des loix, ny sur tous les actes de tyrannie que M. de Maupeou luy a fait prodiguer sans necessité, moyens justes en eux memes et conformes à l'ordre judiciaire, et qu'il n'est facheux d'employer que parce que dans un pays comme celui-cy, il est facheux de voir abattre une puissance quelque illegitime qu'elle fut, lorsqu'elle servoit de barrière au despotisme.

Ces moyens sont tels que s'ils avoient esté presentés purement et simplement, je ne crois pas que ny les princes ny meme le plus grand nombre des officiers du parlement eussent pu s'y refuser. Par consequent ces moyens ne sont aucunement contraires aux principes etablis dans la protestation des princes, en sorte qu'ils peuvent encore aujourd'hui demander et obtenir du roy satisfaction sur tous les articles de leur protestation et en meme tems concourir à ce qui affermira l'autorité royale.

Enfin, voicy le point decisif, ces moyens sont tels que l'execution n'en depend aucunement des parlemens.

Quand la loy que j'imagine aura esté promulguée dans un lit de justice, l'execution en dependra à quelques egards du roy lui-meme, à d'autres des princes et des pairs et à d'autres du grand Conseil.

Il suffit donc de s'assurer du consentement des princes

qui repondront vraisemblablement de celui des pairs qui pensent comme eux, et de la facon de penser des exilés du grand Conseil car on ne doit pas estre inquiet de la partie qui est restée. Je crois à cet egard estre presque assuré de la facon de penser des exilés du grand Conseil parce que je m'en suis expliqué avec un homme considérable parmi eux.

C'est donc des princes que depend la possibilité de l'execution de ce plan, et si mes idées estoient approuvées par eux, je crois que la première fois qu'on voudra traiter avec eux et qu'ils auront esperance du renvoy de l'homme qui les a indignement insultés, ils pourroient dire : *nous avons protesté pour la nation quand les droits essentiels de la nation ont esté attaqués ; nous avons protesté pour la magistrature quand la cause de la magistrature est devenue la cause de la nation ; nous avons protesté pour les droits de la couronne à laquelle nous sommes appelés, mais quand vous voudrés soutenir votre authorité contre les abus de la magistrature, non seulement nous ne prendrons jamais parti pour ce corps mais nous concourrons avec vous à la réformation de ces abus, et sans renverser les loix et les fortunes des particuliers, sans intervertir l'ordre de la justice, sans mettre le trouble dans le royaume, nous ferons plus pour votre authorité que l'homme qui à eu le credit de nous faire regarder comme rebelles* (5).

Cela estant convenu aujourd'huy, on peut renvoyer demain le chancelier, rappeler apres demain le parlement et sans avoir à negocier avec ce corps, tout aura esté arrangé d'avance sans que leurs reclamations puissent faire obstacle à rien.

Vous me dirés, Madame, que nous sommes bien eloignés

(5) Tout ce passage est souligné par Malesherbes.

d'amener le roy à entendre tout cela et j'en suis tout aussi persuadé que vous, mais je pense qu'il n'est pas inutile d'avoir ce plan tout préparé pour l'occasion.

Voila ce que M. bellanger expliquera à M. de bellisle.

Rien de tout cela n'est ecrit parce que c'est une affaire de negociations. Quand les principes seront etablis on peut en tirer plus ou moins de consequences, et cela depend des gens avec qui on aura affaire et quoyque les moyens qu'il faudra adopter soient conformes à la justice, je crois que tout ce qui est dans un moment comme celuy cy en faveur de l'authorité est très dangereux.

Aussi je ne vous propose mes idées que parce que je crois qu'il est necessaire d'en proposer de ce genre pour detruire l'ouvrage d'iniquité qui existe.

Ainsi il faudra ne fournir de ces idées que ce qui sera necessaire suivant les circonstances ; voila ce qui à fait que je n'ay pu me determiner à rediger tout ce que je pense dans un memoire. Je l'ay commencé et presque achevé trois et quatre fois et chaque fois je me suis repenti d'ouvrir les yeux des despotes sur la grande facilité qu'ils ont à remplir leurs vues.

Mais j'ay tout dit à M. bellanger et quand M. de bellisle voudra il luy *redira* (6) tout ce que je luy ay dit.

Je vous avois parlé, Madame, d'un autre memoire le premier auquel j'aye travaillé et je crois vous avoir mandé qu'il estoit achevé. Effectivement il est écrit, si cependant il en falloit faire usage il faudroit le fondre entierement, ce ne sont que des matériaux.

Ce memoire est celuy que je commencay il y a deux ou trois mois à l'occasion du reproche que vous m'aviés fait

(6) Mot douteux.

de ne me pas expliquer dans les lettres que j'avois l'honneur de vous ecrire, sur les affaires publiques.

Mais ce memoire ne contient rien des questions dont je viens de vous parler qui sont le vrai objet de la difficulté.

Voila pourquoy je ne vous l'envoye pas. Je vais cependant vous dire en quoy il consiste et vous verrés avec M. de bellisle si on peut en faire quelque usage.

La premiere partie de ce memoire tend à prouver que le despotisme est absolument etabli en France, soit que les operations de M. le Chancelier subsistent soit qu'elles ne subsistent, et cette proposition n'y est enoncée qu'assés vaguement.

Dans la seconde partie j'examinois les moyens les moins injustes et les moins onereux pour le peuple d'administrer un royaume despotique. J'etablissais qu'il y avoit deux genres de despotisme, tous deux egalement favorables à l'authorité absolue, mais l'un bien plus odieux et bien plus onereux pour le peuple que l'autre. Sans entrer icy dans ce detail je vous diray seulement en general que dans l'un le despotisme s'exerce par des actes d'authorité qui n'ont aucune regle, sans aucuns tribunaux, sans aucun recours à la justice meme du souverain despote, si tant est qu'il veuille estre quelquefois juste, tel est le gouvernement turc.

Dans l'autre le souverain est despote comme l'est le roy de Prusse, comme l'est l'imperatrice reine de Hongrie dans ses états hereditaires, mais les particuliers ont des juges, les juges ont des loix et il y à un recours contre les injustices, en sorte que le souverain peut au moins estre juste quand il le veut.

J'observois que l'administration etablie en France depuis quelque tems et à laquelle on a donné le dernier degré de perfection depuis un an c'est à dire depuis la destruction des cours, nous conduisoit au veritable despotisme oriental et non pas à celuy de Prusse ou d'Autriche.

Je proposois un changement dans l'administration qui consiste à faire avec toute la publicité possible des operations qui depuis pres d'un siècle ne se font que *clandestinement*. Je souligne ce mot *clandestinement* parce que c'est sur ce mot ou plus tost sur cette idée que roule tout le projet.

L'administration que je crois vicieuse et onereuse au peuple sans estre utile au despotisme est celle que j'appelle administration *clandestine*, et pour la detruire radicalement, je proposois non seulement de rendre publiques toutes les operations de l'administration, mais encore d'etablir des deputés ou procureurs syndics résidans dans toutes les provinces pour estre temoins de toutes les operations des administrateurs, et d'autres de la meme province mais residans à Paris et en continuelle relation avec les premiers qui puissent suivre les affaires au Conseil et stipuler les interests de la province.

Des etats provinciaux vaudroient infiniment mieux, mais je pense que ces simples deputés s'obtiendroient bien plus facilement parce qu'ils ne peuvent reellement faire aucun ombrage au despotisme, au lieu que des assemblées nationales sont toujours un ecueil contre lequel vient parfois se buter la puissance la mieux etablie.

Pour faire mieux sentir la necessité, l'utilité et la possibilité de cet etablissement il a fallu entrer dans le detail de plusieurs parties de notre administration. Voila pourquoy ce memoire est excessivement long : apres en avoir composé les differens materiaux qui estoient presque indechiffrables pour moy meme, je les ay fait copier, et comme je n'ay icy personne en qui je puisse avoir assés de confiance pour luy donner à faire une pareille copie, je les ay envoyés à Paris à un homme qui a esté mon secrétaire (7). La copie est faite et est encore entre ses mains ; mais comme je ne prevois pas que d'icy à longtems ce memoire soit bon à rien, je n'ay pas voulu me donner la peine de le rédiger.

Voila, Madame, ce que c'est que ce memoire ou plus tost ce projet de memoire.

Vous voyés qu'il est absolument etranger à l'objet important dont il faut s'occuper.

Cependant si M. de bellisle adopte ce que M. bellanger luy proposera sur l'objet important, je crois qu'il ne faudra pas negliger celuy de ce memoire et voicy, Madame, quelles seront sur cela mes idées.

La premiere partie de ce memoire devient absolument inutile puisque M. bellanger entrera dans bien plus de details sur les moyens d'affermir l'authorité. Je n'avois ecrit cette premiere partie que dans l'idée que ce memoire apres sa redaction pourroit estre mis sous les yeux de quelque depositaire de l'authorité despotique, et j'appuyois beaucoup sur ce que cette authorité est solidement etablie pour prouver qu'on n'avoit rien à craindre des nouveaux representans qu'auroit la nation. Mais aujourd'huy apres ce qui s'est passé en dernier lieu entre le roy et le chancelier il me paroit evident qu'il seroit tres dangereux d'avouer que l'authorité despotique est etablie et que cela ne serviroit qu'à cimenter le credit de celuy qui soutiendroit que c'est à ses operations que le roy est redevable de cette victoire.

M. de bellisle *verra* (8) donc un plan tout different dans ses conversations avec M. bellanger, et luy prouvera par

(7) Il s'agit de Baufre, qui entra au service de Malesherbes vers 1755 et qui périt courageusement sur l'échafaud quelques semaines après son maître.

(8) Mot douteux.

d'assés bonnes raisons que le chancelier n'a pas fait avec tous ses actes de tyrannie une operation aussi solide que celle qu'on peut faire par des moyens plus simples et plus reguliers.

Quant à la seconde partie, je scais bien, Madame, que sous ce gouvernement cy, et surtout dans ce moment cy nous n'obtiendrons pas d'etats provinciaux ny meme les deputés nationaux que je propose, mais je crois que les princes doivent toujours les demander sans esperance de les obtenir, je crois qu'ils doivent faire passer au roy un memoire ou ils exposent tres brièvement les principes de gouvernement qui rendent cet etablissement et necessaire et sans inconvenient pour l'authorité et qu'en meme tems il sera bon qu'il soit répandu dans le public un autre memoire plus detaillé sur le meme objet ou les vices de notre administration seront developpés.

Vous allés me demander pourquoi faire une demarche que je considere qui sera inutile ; en voicy, Madame, les raisons :

1) elle fera honneur aux princes,

2) ce sera par eux que le roy reformera ce qu'il y a d'abusif dans l'authorité des parlemens. Il est juste qu'ils agissent aussi pour le public.

Ce sera beaucoup d'avoir fait retablir la magistrature. Mais il me semble que les princes du sang ne doivent pas agir pour les seuls interest du corps de la magistrature. Ils sont membres du parlement mais ils doivent aussi se regarder comme les chefs de la nation. Il n'a esté encore fait aucune demarche pour donner à la nation le droit de se faire entendre dans sa propre cause ; il me parait decent que la première soit faite par les princes.

Ce qu'on n'obtiendra pas aujourd'hui peut s'obtenir dans

d'autres tems. En faire la proposition à present, la faire au nom des princes qui doivent y donner du poids, l'appuyer par des memoires dont le public ait connaissance, c'est semer en 1772 ou 1773 pour recueillir peut etre en 1780.

Pour vous prouver qu'il n'est pas impossible que ce projet soit un jour adopté, je vous observeray que ce n'est point un systeme d'administration, ce n'est point un changement à rien de ce qui existe.

On propose beaucoup de systemes et beaucoup de changemens dans le public, ils peuvent avoir des avantages et aussi des inconveniens. Il est bon de les donner au public, mais les princes et les pairs ne doivent pas se faire les protecteurs d'un systeme. Mais dans l'établissement des députés je ne propose de rien changer à ce qui existe. L'authorité residera toujours dans les ministres, dans les intendans, dans les subdelegués, seulement ce qui se faisoit par un acte clandestin se fera par un acte public, et il y aura des gens authorisés à se pourvoir en s'adressant au roy luy meme contre les abus. L'authorité des administrateurs ne sera pas moindre, le gouvernement aura seulement plus de moyens d'estre eclairé sur leur conduite.

Quant à toutes les reformes à faire dans l'administration, c'est une autre affaire. S'il y en a d'utiles, l'établissement des deputés provinciaux sera le meilleur moyen de les rendre faciles parce que ce seroit eux qui connoissant l'etat des provinces pourront proposer des remedes ou discuter ceux qui seront proposés par d'autres.

Cette observation qui n'est qu'une tres petite partie de ce que j'ay discuté dans mon memoire suffit pour montrer qu'il n'est pas impossible que ce projet soit un jour adopté, et qu'il est utile pour l'état d'en donner la premiere idée des le moment ou les princes pourront traiter avec le roy.

3) Si jamais ce projet s'execute, je crois qu'il sera avantageux pour les princes qu'on sache qu'ils en ont été les premiers instigateurs et l'effet en sera que les deputés créés d'après leur demande les regarderont toujours comme leurs chefs et leurs protecteurs.

Il ne reste, Madame, qu'a vous prier de me pardonner l'ennuy que vous a causé cette longue lettre et de vous assurer de tout mon attachement et de tout mon respect.

***

LETTRE AU DUC DE LA VRILLIERE

à propos des obsèques du Chancelier de Lamoignon.

Le Chancelier de Lamoignon mourut à Paris le 12 juillet 1772 à 89 ans et quatre mois (voir *Malesherbes*... p. 98).

Malesherbes était alors en exil dans ses terres ; il demanda et obtint l'autorisation de se rendre à Paris pour assister son père dans ses derniers moments.

Dans cette lettre, adressée comme il convient à Phélipeaux, duc de la Vrillière, secrétaire d'Etat à la Maison du Roi, il sollicite la permission de prolonger son séjour, pour régler des affaires de famille et il informe le ministre qu'en raison de sa disgrâce et afin d'éviter d'attirer sur lui l'attention du public, les obsèques de son père auront lieu (à l'église Saint-Roch, proche de la place Vendôme où se trouvait l'hôtel de la Chancellerie) à une heure très matinale.

Remarquons que le chancelier de Lamoignon était lui-même en demi-disgrâce depuis octobre 1763 : il n'exerçait plus sa charge, mais conservait toutefois le titre de chancelier avec les prérogatives qui y étaient attachées.

Au duc de La Vrillière.

A Paris, ce 12 juillet [1772].

Vous scaviés, Monsieur le duc, que la maladie dont mon pere estoit atteint ne nous laissoit aucune espérance. J'ay eu le malheur de le perdre cette nuit à deux heures.

Je dois vous en instruire le premier puisque c'est à vous que j'ay du de pouvoir rendre les derniers soins à mon père.

Puis-je me flatter que vous vouliés bien encore demander pour moy la permission de rester à Paris le tems nécessaire pour terminer les principales affaires que ce malheur entraîne, pour lesquelles ma presence peut estre necessaire à moy et à ma famille. J'attends que vous ayés la bonté de me faire scavoir les intentions du roy.

Mon pere a déclaré par une disposition expresse de son testament qu'il vouloit estre enterré le matin et que ce fut sans aucune ceremonie et sans aucune invitation.

Je suis convenu avec ma famille et M. le Curé de St-Roch de la matinée de demain à six heures. J'ay pensé que si matin il y auroit peu d'affluence. J'ay cru me conformer en cela aux intentions de mon pere et j'ay pensé aussi qu'ayant le malheur d'estre dans la disgrace du roy, je devois eviter d'attirer sur moy l'attention du public.

J'ay l'honneur d'estre avec un inviolable attachement, Monsieur, votre très humble et très obéissant serviteur,

DE LAMOIGNON DE MALESHERBES.

***

« SIRE,

NOUS AVONS ETE

JUSQU'A PRESENT PERSUADES... »

C'est sans doute un projet de lettre qui aurait été rédigé par Malesherbes ou qui lui aurait été soumis et qu'il aurait recopié en le modifiant, à l'intention des Princes du sang désireux de rentrer en grâce auprès du Roi ; ils protestent de leur soumission sans renier pourtant la conviction qui leur a dicté leur attitude hostile au coup d'Etat de Maupeou contre la magistrature.

Date probable : décembre 1772 (ce qui fait près de deux ans de disgrâce, comme il est dit au début).

Projet qu'on m'a envoyé le 18 *ou* 19 *décembre.*

(*apostille de Malesherbes*).

Sire,

Nous avons été jusqu'à présent persuadés que l'ordre rigoureux qui nous tient éloignés de la présence de V.M. n'avoit d'autre motif que notre reclamation. Quoy que penetrés de la plus vive douleur d'etre depuis deux ans dans votre disgrace, il nous restoit au moins la consolation que nous donnoit la pureté de nos intentions.

Il ne nous est plus permis de douter, Sire, que V.M. ne regarde cet acte de notre part comme une désobéissance ; que cette idée est affligeante [!]. Elevés pres du throne, devoués à la personne de V.M., comblés dans tous les tems de ses bienfaits nous vous avons donné autant qu'il est en notre pouvoir les marques les plus sinceres de notre amour, de notre fidelité, de notre respect, de notre reconnoissance. Nous ne vous avons point desobei, Sire, daignés nous ecouter. Nous vous exprimons nos sentimens avec la loyauté et la franchise dignes de princes de votre sang.

Ordonnés, Sire, nous devons à votre puissance souveraine la soumission la plus entiere comme princes de votre sang, nous sommes attachés plus que personne au maintien de votre authorité, comme vos premiers sujets nous devons l'exemple de l'obeissance.

Nous avons reclamé, Sire, contre l'exécution d'un projet qui nous a paru dangereux. Nous pouvons etre dans l'erreur, mais comme nous croyons etre dans les voyes de la verité, il n'est pas en notre pouvoir de changer d'opinion et ces sentimens ne sont point incompatibles avec l'obeissance due à votre authorité.

Ouy, Sire, nous obeirons, quoyque V.M. nous prescrive des demarches contraires à notre propre sentiment. Nous ne les reglerons sur notre facon de penser que quand V.M. ne jugera pas à propos de nous donner des ordres. C'est en quoy consiste la véritable soumission à votre puissance souveraine apres celle que nous devons à Dieu.

Voila, Sire, nos vrais sentimens. Nous les croyons conformes à nos devoirs. Nous les deposons avec sincerité, dans le sein de notre pere et de notre roy. Pesés les, Sire, dans votre equité et dans votre cœur et nous esperons que V.M. en nous rendant ses anciennes bontés voudra bien nous permettre de nous presenter devant elle pour luy rendre les hommages que nous luy devons à tant de titres.

⁂

LETTRE A M. DE LAMOIGNON (1773)

Cette lettre, qui est à rapprocher de celle du 2 février 1772, concerne encore les pressions que l'on exerce sur les anciens membres de la Cour des Aides pour les amener à accepter la liquidation de leurs offices. On use tantôt de séduction tantôt de menace. Il est fait allusion ici à une lettre confidentielle du duc d'Aiguillon conseillant vivement aux anciens magistrats de donner au Roi, en acceptant de se faire liquider, une preuve de leur obéissance, et par là, d'être agréables au souverain.

Nous respectons les désirs du Roi, dit Malesherbes, *mais nous résoudre à la démarche qu'on demande de nous, serait renier nos convictions, désavouer notre conscience et nous déshonorer devant l'opinion publique qui ne comprendrait pas les raisons de notre conduite.*

La lettre est adressée par Malesherbes à son cousin le présisident de Lamoignon (futur garde des Sceaux), exilé comme lui et avec qui il est en relations constantes.

On se reportera, dans notre ouvrage (1ère partie, chapitre X, p. 262-63) à la lettre confidentielle adressée très probablement à Bellanger, dans laquelle Malesherbes démontre que l'opération de liquidation telle qu'on voudrait l'imposer aux membres de l'ancienne Cour des Aides — comme on a essayé de l'imposer aux parlementaires — ne serait profitable ni moralement ni matériellement et qu'en particulier elle ferait perdre l'estime publique à ceux qui s'y soumettraient.

A M. De Lamoignon. [1773].

Cette seconde lettre n'a pas été envoyée
(*Apostille de Malesherbes*).

Je crois, mon cousin, que depuis que nous [nous] (1) sommes quittés hier, vous avés bien fait quelques reflexions sur cette reponse qu'il nous à fallu faire avec beaucoup

(1) Nous rétablissons ce mot.

trop de précipitation. J'en ay fait aussi quelques unes et en voicy le resultat.

Nous ne craignons jamais ny vous ny moy d'estre obligés de déclarer sur le champ notre facon de penser, mais il n'est pas moins vrai qu'il est fort facheux de n'avoir pas eu le tems nécessaire pour peser toutes nos expressions dans le moment ou il a fallu nous expliquer sur une démarche qu'on nous assure qui sera fort agréable au roy, pendant qu'il nous paroit evident que le roy n'a jamais pu prevoir l'interprétation *qu'aura* (2) necessairement cette demarche et que s'il l'avoit prevue, il auroit eté bien eloigné de vouloir nous y engager.

Le roy n'a jamais demandé à personne le desaveu du sentiment intime de sa conscience. Je concois qu'on ne luy à fait voir dans nos liquidations que le sacrifice de nos charges, c'est a dire d'effets qui nous appartiennent et auxquels il nous est libre d'y renoncer.

Je concois même que les magistrats ayent eu pendant un tems la même facon de penser. Vous pouvés vous rappeler que c'estoit la mienne dans l'origine de l'affaire. Cette demarche me paroissoit assés indifférente. Quelques uns de Mrs de la Cour des Aides s'y sont determinés apres m'avoir consulté et à la verité j'en scais qui s'en sont bien repentis depuis. Pour moy je me fis un devoir d'attendre l'exemple que me donneroit le plus grand nombre de mes confreres.

Mais aujourd'huy tout ce qui s'est pratiqué depuis deux ans ayant manifesté clairement *l'induction* (2) que M. le Chancelier vouloit tirer des liquidations, les principes se sont etablis encore que n'ayant point recu d'ordre exprès, nous ne pouvions aujourd'huy remettre nos provisions sans acquies-

(2) Mot douteux.

cer au moins implicitement à tout ce qui a esté fait contre nous et contre nos compagnies.

Voila ce que nous avons dit cent fois et ce que moy nommément j'ay ecrit à tous ceux de Mrs de la Cour des Aides qui m'ont fait l'honneur de me consulter depuis quelque tems. Croit-on que nous puissions déroger à ces temoignages authentiques de notre facon de penser d'apres une lettre tres indirecte qui nous annonce que le roy le desire sans que nous puissions être admis à luy faire connoitre quelle est cette demarche qu'il desire de nous.

On nous dit secretement qu'il faut nous faire liquider pour plaire au roy, et on dit publiquement dans un arrest du Conseil qu'il faut nous faire liquider à peine de perdre le prix de nos offices.

On nous parle dans la meme lettre secrete de la liquidation comme d'une preuve de notre obeissance, et dans tous les actes publics on a evité de nous la faire ordonner directement.

Ainsi ceux qui vous ont ecrit scauroient eux seuls dans l'univers que nous avons cherché à nous rendre agréables au roy et à luy donner une preuve de notre obeissance, et toute la France voyant que nous n'avons point reçu d'ordre croiroit que nous avons renoncé à nos principes pour un interest pecuniaire.

Je crois que quand M. le duc d'Aiguillon aura pesé toutes ces considerations, il conviendra que ce seroit une demarche deshonorante, et une demarche qui nous deshonoreroit ne peut pas etre une demarche agreable au roy.

Je crois important que ces dernieres reflexions jointes à de beaucoup meilleures que vous aurés faites aussi depuis hier parviennent aux personnes avec qui vous etes en relation.

Je voudrois aussi pour moy en particulier leur marquer un peu plus énergiquement que dans ma lettre d'hier qui estoit trop succinte combien il m'a esté douloureux d'avoir à contester sur une démarche qu'on dit qui pourra estre agreable au roy et combien je suis indigné contre ceux qui employent depuis longtems toutes sortes d'artifices pour mettre notre honneur en opposition avec ce qu'exigeroit notre respect pour les moindres desirs du roy.

(*Ici environ une page biffée*).

Voila ce qui ne devroit jamais arriver en France et ce qui reellement n'y arrivera jamais quand tout le monde... (3) de bonne foy.

Personne n'est obligé de trahir la vérité, mais nous devons tous obeissance au roy. Autrefois nos remontrances et nos protestations et aujourd'huy que le roy ne nous regarde plus comme magistrats notre refus d'acquiescer à des [opérations] (4) que nous croyons injustes ne sont que la déclaration de notre facon de penser et en quelque facon un appel à la volonté future du roy qui n'empeche point l'exécution de sa volonté présente.

Quand le roy veut user de sa toute puissance tout se soumet et la contrainte met notre conscience à l'abri de tous les reproches. Le gouvernement ne peut donc avoir aucun motif honneste ny plausible pour extorquer de nous directement ny indirectement un consentement contraire à notre façon de penser.

Aussi n'est-ce certainement pas la le projet de M. d'Aiguillon, mais ce projet est celuy qu'on voit clairement dans toute l'operation de M. le Chancelier sur les liquidations.

---

(3) Un mot illisible.

(4) Le mot a été biffé, mais il a été remplacé par un autre mot illisible.

CHAPITRE QUATRIÈME

Malesherbes et Voltaire

MALESHERBES ECRIT A VOLTAIRE

Dans des termes empreints de l'admiration la plus déférente, Malesherbes écrit à Voltaire, le 25 décembre 1774, pour lui annoncer sa candidature au fauteuil de Dupré de Saint-Maur à l'Académie Française.

On sait que Voltaire avait pris parti pour la réforme Maupeou contre la magistrature; cette attitude avait été ressentie douloureusement par Malesherbes. Les mots : « un homme à qui vous avez fait le singulier honneur d'écrire contre lui » font allusion à ce factum de Voltaire publié en 1771 (sans nom d'auteur bien entendu) et intitulé *Réponse aux remontrances de la Cour des Aides par un membre des nouveaux Conseils souverains* (Cf. : *Malesherbes témoin et interprète de son temps*, p. 204). Mais l'ancien premier président de la Cour des Aides a pardonné à celui qu'il considère comme « le plus grand homme de son siècle ».

Après l'élection de Malesherbes, Voltaire avait adressé à celui-ci un billet chaleureux pour le féliciter (*ibid.* p. 204) et lorsqu'il eût reçu le discours de réception du nouvel académicien (discours dans lequel Malesherbes avait rendu un magnifique hommage à Voltaire), il lui écrivit une très belle lettre (*ibid.* : p. 205) datée du 26 février 1775 où perce un certain regret de son attitude passée (« je vois que vous m'avez pardonné d'avoir été d'une opinion qui n'était pas la vôtre, etc... ») Ces deux lettres (1er janvier et 26 février) figurent dans la correspondance de Voltaire.

C'est à cette très noble lettre du 26 février que répond la

lettre de Malesherbes du mois de mars que nous donnons ici : elle complète ce que nous savons déjà de l'admiration et du respect (1) que Malesherbes vouait à Voltaire et que le douloureux antagonisme de 1771 n'avait pas sérieusement entamés.

L'affaire d'Abbeville, dont il est question dans le troisième paragraphe de cette lettre, est celle du chevalier de La Barre et de son ami, moins infortuné que lui, le jeune d'Etallonde de Morival. La correspondance de Voltaire à la fin de l'année 1774 et au début de 1775 témoigne de l'importance qu'il y attachait et des efforts qu'il y consacrait. C'est à cette époque qu'il sollicite sans relâche l'intervention de la duchesse d'Enville (d'ailleurs amie de Malesherbes) en faveur d'Etallonde de Morival.

A M. de Voltaire

A Paris le 25 *décembre* [1774].

Permettrés vous, Monsieur, à un homme à qui vous avés fait le singulier honneur d'écrire contre luy d'aspirer à devenir votre confrère.

Plusieurs de vos amis qui veulent bien être aussi des miens ont cru que je pouvois me mettre sur les rangs pour obtenir la place de M. Dupré de St Maur à l'Académie française.

Si mes vœux sont exaucés je sens qu'il manquera encore à mon bonheur d'avoir eu votre suffrage, et puisque j'en seray privé necessairement par votre absence, je voudrois scavoir au moins si vous voulés bien approuver mes démarches et j'aurois voulu qu'il me fût possible d'aller

(1) Il emploie ici le mot *vénération*.

vous demander votre agrément et vous porter mon hommage.

Je suis, Monsieur, avec tous les sentimens dus au plus grand homme de mon siècle, votre...

*
* *

A M. de Voltaire,

à Paris ce... (1) mars 1775.
(*date de la main de Malesherbes*).

Je n'ay point cru, Monsieur, devoir joindre une lettre à l'hommage que je vous ay fait de mon discours de reception parce que je ne me croyois pas en droit de vous causer cette importunité de plus. La lettre que je reçois de vous m'autorise à vous marquer combien j'ai eté flatté de pouvoir donner un temoignage public de ma veneration à l'homme qui fait la gloire de mon siecle.

Je vous avoue, Monsieur, que dans le tems de nos malheurs il me fut très douloureux de vous voir du parti de nos persecuteurs. Ma consolation étoit que certainement ils n'étoient pas connus de vous.

Je ne suis pas surpris que l'affaire d'Abbeville vous soit toujours présente mais vos correspondans vous ont laissé dans l'erreur sur le nom de ceux qui y ont eu le plus de part. J'espère au moins que cette cruauté sera la dernière de ce genre et je vous en remercie encore au nom de l'humanité. Je suis avec respect, Monsieur, votre très humble et très obéissant serviteur,

MALESHERBES.

*
* *

(1) La date manque.

LETTRE A D'ALEMBERT
(décembre 1774)

La lettre du 25 décembre 1774, que nous avons reproduite et commentée plus haut n'avait pas été envoyée à Voltaire directement, mais par le canal de d'Alembert, avec lequel on sait que Malesherbes était très lié. On peut constater combien, dans cette lettre à d'Alembert, Malesherbes qui, visiblement, a pardonné, s'efforce d'excuser et même de justifier l'attitude de Voltaire en 1770-71. Il l'excuse surtout parce que, dit-il, Voltaire a été mal informé et qu'il n'a pas véritablement connu les gens avec lesquels il s'est déclaré d'accord : il explique pourquoi il n'a pas jugé bon de répondre à l'attaque de Voltaire contre les remontrances de la Cour des Aides ; enfin il affirme que cette divergence d'opinions n'altèrera point le respect et l'admiration qu'il porte à Voltaire (ici l'on peut noter des expressions analogues à celles qu'il emploie en parlant *de* Voltaire ou *à* Voltaire : « le grand homme qui fait la gloire de son siècle ») (cf. dans la lettre de mars 1775 : « l'homme qui fait la gloire de mon siècle ») ; il ajoute même un témoignage personnel en évoquant le bonheur qu'il a éprouvé dès son enfance à la lecture des ouvrages de Voltaire.

*
* *

A M. d'Alembert [décembre 1774]

(*en lui envoyant sa lettre à Voltaire du* 25 *décembre*).

J'ay l'honneur de vous envoyer, Monsieur, ma lettre pour M. de Voltaire en vous priant de la faire mettre à la poste si vous l'approuvés, c'est à dire si vous croyés qu'il en soit content, bien que je n'aye d'autre desir dans cette demarche que de luy rendre un hommage qui luy soit agréable.

J'ay cru ne devoir point eviter de luy parler de la reponse qu'il a faite aux remontrances de la cour des Aides. Il ne peut pas douter que je n'en aye eté effecté, et il m'a semblé que le meilleur moyen de luy marquer que je n'en conserve aucun ressentiment est de luy en parler franchement.

Quand je scus que cette brochure existoit, je fus quelque tems sans pouvoir la voir et je vous avouerois que je comptois y repondre. Je n'avois pas le projet d'entrer en lice contre M. de Voltaire, mais je voulois luy adresser alors meme mes observations et le prendre pour juge, et je croyois ma cause assés bonne pour esperer de le convaincre. Enfin je la vis et je trouvay qu'on ne nous reprochoit que de n'avoir pas parlé des conseils superieurs qui n'existoient pas encore lorsque nos remontrances avoient paru. Ce n'estoit donc qu'un malentendu causé par l'inexactitude ou peut etre la mauvaise foy des correspondans de M. de Voltaire et ce malentendu ne valoit pas la peine de l'importuner.

(ici 11 lignes biffées) (1).

puis :

Il a paru depuis bien d'autres ouvrages attribués à M. de Voltaire sur nos affaires et vous scavés que je pense tres differemment de luy et sur les principes et sur les personnes. Vous me rendrés bien la justice de croire que cette différence de facon de penser ne diminuera certainement ny mon respect pour le grand homme qui fait la gloire de

(1) Après les mots : « et ce malentendu ne valoit pas la peine de l'importuner », voici les lignes qui ont été biffées. « Il à certainement eté tres facheux pour nous d'avoir un si redoutable adversaire, ma consolation a toujours eté d'etre bien persuadé que s'il n'estoit pas absent depuis si longtems et qu'il eut pu connoitre les gens dont il parloit, il ne se seroit pas fait leur apologiste.

« Il a paru bien d'autres ouvrages attribués à M. de Voltaire sur nos affaires et vous scavés que je suis tres eloigné de penser comme luy et sur les personnes et sur les principes.

« Quant aux personnes, je suis tres sur que si M. de Voltaire n'estoit pas absent depuis si longtems et qu'il eut pu passer seulement deux heures avec ceux dont il à parlé il ne se seroit pas fait leur apologiste.

« Quant aux principes j'ay encore la confiance de croire que si j'estois à portée de les discuter avec luy, nous ne [nous] trouverions pas si eloignés. »

notre siecle ny ma reconnoissance pour l'auteur de ces ouvrages qui depuis que j'existe ont fait mon bonheur et celuy de toutes les ames sensibles.

D'ailleurs je vous assure que j'attribue tout à la longue absence de M. de Voltaire. Vous conviendrés avec moy que s'il eut connu personnellement les gens dont il à [parlé] il ne se seroit pas fait leur apologiste, et j'ay enfin la confiance de croire que si nous avions pu nous expliquer avec luy sur les principes, nous ne nous trouverions pas si éloignés.

(*entre « sur les principes » et « nous ne nous trouverions », près de 2 lignes biffées*).

A la fin 2 lignes biffées et que voici :

M. de Voltaire dont le genie s'est exercé sur tous les sujets à donné surtout depuis quelques années des idées sur la legislation, et s'il vouloit...

***

LETTRE AU MARQUIS DE XIMENES (1789)

L'édition des lettres de Voltaire à laquelle il est fait ici allusion n'est autre que la fameuse édition de Kehl due à Beaumarchais qui concerne les œuvres complètes de Voltaire, en 70 volumes in 8°, et où la correspondance occupe les tomes LII à LXIII. Certains exemplaires portent le millésime 1784, d'autres (plus nombreux) 1785, le dernier tome 1789. Ces dates, fait remarquer Bengesco, ne sont d'ailleurs pas celles de la distribution des volumes, qui ont paru de 1785 à 1790 : les trente premiers volumes en 1785 et le reste de l'édition de 1787 à 1790, sans qu'il soit possible d'assigner une date précise à la publication de chaque volume. (Cf. : Bengesco. *Bibliographie des Œuvres de Voltaire,* tome IV, p. 105-146).

Comme nous l'avons dit au chapitre VIII de la 1ère partie

de notre ouvrage, *Malesherbes témoin et interprète de son temps,* Voltaire se plaignait souvent, et très injustement, de Malesherbes, alors chargé de la Librairie, qu'il ne trouvait pas assez docile à son gré. En ce qui concerne Fréron, il écrivait notamment le 6 avril 1761 (à propos d'un libelle de Fréron sur Mlle Corneille, la protégée de Voltaire) : « *Encore une fois, je ne peux m'imaginer que M. de Malesherbes refuse ce qu'on lui demande. Il ne s'agit que d'un désaveu nécessaire : ce désaveu, à la vérité, discréditera les feuilles de Fréron, mais M. de Malesherbes partagerait lui-même l'infamie de Fréron, s'il hésitait à rendre cette légère justice* ». La correspondance de Voltaire avec d'Alembert, et surtout avec d'Argental, est pleine, à une certaine époque, de récriminations contre Malesherbes (cf. : notre ouvrage, p. 196, note 28, et p. 203 ; voir notamment les deux lettres des 10 et 12 septembre 1755 (1).

Quant au vol du manuscrit dont il est question ici, il s'agit sans doute de l'accusation que Voltaire porta en 1755 contre le Marquis de Ximénès de lui avoir dérobé un manuscrit informe, *les Campagnes du roi,* qui devait faire partie du futur *Précis du siècle de Louis XV.* Malgré les protestations de Ximénès à Malesherbes, qu'il avait assuré de sa parfaite innocence, Mme Denis, la nièce de Voltaire, accusait énergiquement Ximénès. Elle écrivait à Mme de Pompadour une lettre dans laquelle elle affirmait que Malesherbes avait *des preuves de ce vol.* Malesherbes fut justement irrité de l'attitude de Voltaire et de sa nièce. Sur cette affaire, cf. *Malesherbes...* p. 195-197.

Après 34 ans écoulés, il ne reste à Malesherbes, de tout cela, qu'un peu d'amertume. Mais sa mémoire est demeurée fidèle ; il n'a pas oublié que le « *grand homme* » usait souvent de procédés assez mesquins (2) et que, parmi ceux qui se prévalaient de son amitié, il y avait des gens qui méritaient peu d'estime.

---

(1) Ces deux lettres, ainsi que d'autres où il est encore question de Malesherbes, ont été imprimées pour la première fois dans l'édition de Kehl, comme l'indique M. Besterman dans son édition de la *Correspondance.* Par contre Ximénès n'a pu signaler à Malesherbes la lettre du 6 avril 1761 à Le Brun, car elle n'a été publiée pour la première fois qu'en 1811, dans les *Œuvres* d'Ecouchard Le Brun (t. IV, p. 51-53).

(2) C'est ainsi qu'il lui écrit, à propos de cette même affaire : « C'est surtout avec regret que je suis obligé de traiter de pareilles misères avec un homme qui honore mon siècle et ma patrie... »

Augustin-Louis, marquis de Ximénès (1726-1817) fut un homme de lettres français d'origine espagnole, qui se consacra à la littérature après avoir été aide de camp du maréchal de Saxe. Il rentra en grâce auprès de Voltaire en acceptant de signer un pamphlet contre Rousseau, les *Lettres sur la Nouvelle Héloïse* (1761). Il écrivit surtout des poèmes et de mauvaises tragédies, célébrant successivement la Révolution, Napoléon, Louis XVIII.

A M. Le Marquis de Ximenès (copie).

17 février 1789.

(*date ajoutée d'une main étrangère*).

Je n'ai pas encore lu, Monsieur, les lettres de M. de Voltaire qui viennent d'être imprimées et je ne pourrai pas encore les lire d'ici à quelque temps parce que j'ai dans ce moment-ci d'autres choses à faire.

C'est par vous que j'apprends le trait qui me concerne. Il ne mérite pas que j'y fasse la moindre attention.

Je me souviens très bien que M. de Voltaire et quelques uns de ses amis ont eu pendant longtemps beaucoup d'humeur contre moi parce que je laissais paraître les feuilles de Fréron.

Parmi ceux qui se paraient du nom d'ami de M. de Voltaire, et qui [se] disaient chargés par lui de me parler de ses affaires, il y avait quelquefois des espèces de gens avec qui je n'aurais jamais voulu avoir des relations sans le nom du grand homme par qui ils étaient envoyés. Je ne sais pas ce que ces gens-là lui ont mandé, mais M. de Voltaire aurait dû songer que ne n'étais ni lieutenant criminel ni lieutenant de police, que mon unique fonction était de faire accorder ou refuser la permission d'imprimer les livres qu'on présentait à la censure et que si on avait volé à un auteur son manuscrit, cela ne me regardait pas plus que si on lui avait volé sa bourse.

Je suis sensible, Monsieur, à l'avis que vous voulez bien me donner, et je vous prie d'être persuadé [de] l'attachement avec lequel j'ai l'honneur d'être...

CHAPITRE CINQUIÈME

Entré dans le Ministère malgré lui
Malesherbes
se débat pour en sortir

LETTRE DE 1775

(*ce jeudi matin*)

« *J'ay été aveuglé ce matin, Monsieur...*

Cette lettre doit prendre place parmi toutes celles que nous avons reproduites au chapitre XIII de la 1re partie de notre ouvrage, *De la Cour des Aides rétablie au Ministère de la Maison du Roi.* (p. 317 à 324). Elle se situe sans aucun doute dans la seconde quinzaine de juin 1775, époque à laquelle Malesherbes, assiégé par les sollicitations de Turgot, de Maurepas et de l'abbé de Véri, est en proie à une violente agitation intérieure et change plusieurs fois d'avis au sujet de son entrée dans le ministère à laquelle on le presse de consentir et pour laquelle il avoue une répugnance profonde. (On confrontera toutes ces lettres, témoins de ces hésitations et de ces combats avec ce que relate l'abbé de Véri dans son *Journal*).

On remarquera la liberté avec laquelle il parle de la Reine dont l'attitude constitue le plus grand obstacle à son entrée dans le Conseil : la Reine veut confier à M. de Sartine le département de Paris et le ministère de la Maison du Roi : or la présence de Sartine provoquera la démission de Turgot, car il y a incompatibilité entre les deux personnages. On remarquera aussi combien Malesherbes a conscience de sa faiblesse : il redoute de se trouver en présence de ses amis car il sait qu'il ne résistera pas à leurs objurgations ; mais une fois seul et « *rendu à lui* », il reprendra possession de lui-même et reviendra à ses résolutions de toujours.

(Destinataire inconnu ; *peut-être l'abbé de Véri.*)

Ce jeudy matin. [1775].

J'ai été aveuglé hier matin, Monsieur, par un désir excessif de me préter aux desirs de M. Turgot, l'homme du royaume le plus vertueux et à qui je dois le plus d'amitié.

C'est ce qui m'a fait trouver de la possibilité au projet absurde de prendre pour six mois la place de secrétaire d'état et je vous avoue que mon illusion a duré toute la journée et que j'en ay parlé sur le meme ton à M. de Miromesnil et à M. de Nivernois parce que je n'ay pu y reflechir que pendant les deux momens ou je les ay vus, et que le reste du jour j'ay été entrainé par des affaires differentes.

Le recueillement de la nuit m'a ouvert les yeux. Un pareil projet ne seroit executable, je diray plus, il ne seroit honneste qu'estant concerté avec le roy lui-meme, en convenant avec luy du tems de ma retraite et, comme on vous l'a très bien observé, c'est ce qu'il ne faut point faire parce que cette retraite annoncée donneroit ouverture à toutes les intrigues.

Ce seroit donc tromper le roy d'accepter une place avec l'apparence de la prendre pour toujours, pendant que j'aurois le projet arresté et irrevocable de la remettre au bout de six mois.

D'autre part cette place me repugne trop et je m'y crois trop peu propre pour l'accepter pour toujours.

Vous m'allegués le bien de l'etat et je pense plus que personne que le bien de l'etat est de conserver M. Turgot. Mais voicy sur cela mes observations.

Quelque legère que puisse etre la reine il est aisé de luy démontrer qu'apres ce qui s'est passé dans les seditions (1) c'est perdre M. Turgot que de donner à M. de Sartine le departement de Paris. Soit par M. l'abbé de Vimont soit par M. de Meny il vous est tres aisé de luy faire concevoir cette verité, ou si elle n'a pas asses d'intelligence pour cela il n'y a rien à faire dans un royaume ou cette princesse à un credit preponderant.

Or cette verité etant entendue d'elle ou elle insistera dans son projet pour M. de Sartine ou non.

Si elle n'y insiste pas vous n'avés pas besoin de moi et M. de Maurepas y mettra tout autre qu'il voudra choisir. Si la reine insiste et que ce fut malgré elle que M. de Maurepas me fit entrer au conseil, il est bien certain que ny M. de Maurepas ny M. Turgot ny moy... (2) un an et cela ne vaut pas la peine de sacrifier toute mon existence.

Je n'iray pas vous voir, Monsieur, parce que je vous avoue que je crains votre presence et celle de tous vos amis qui se sont meslés de cette affaire. D'ailleurs a présent que vous connoissés ma faiblesse, vous voyés bien que vous ne gagneriés rien avec moy, vous me verriés peut etre encore ebranlé en votre presence en vous avertissant comme je l'ay déjà fait de n'y pas conter [*sic*] et que rendu à moy meme je reviendrois à mon sentiment de tous les tems.

J'eviteray aussi la presence de tous nos amis et notamment de M. Turgot, cette fuite est peut etre encore un effet de ma faiblesse.

Je sens combien cecy me fera perdre de l'estime et de

(1) Il s'agit de la guerre des farines, émeutes consécutives à l'arrêt du Conseil du 13 septembre 1774, qui autorisait la libre circulation des céréales à l'intérieur.

(2) Deux mots illisibles.

l'amitié des personnes que j'aime le plus au monde, je sens ce malheur dans toute son etendue et il faut que je m'y résigne.

*
* *

LETTRE DE 1776
(réponse à M...)

« *Je suis touché au dernier point, Monsieur, de la confiance...* »

Confidence à un ami (lequel ?) Le nom du destinataire est illisible. Cette lettre, malheureusement incomplète, a été écrite dans les premiers mois de 1776. D'après le fragment qui subsiste, nous pouvons conjecturer que Malesherbes s'efforce de montrer combien il a perdu en entrant dans le ministère, c'est-à-dire en passant de l'autre côté de la barricade, alors qu'il s'était acquis dans le public une telle popularité comme défenseur de la magistrature et pour avoir encouru par la fermeté de son attitude la disgrâce de Louis XV.

Il avoue n'avoir pas été insensible à l'encens des applaudissements unanimes (par exemple le jour de sa réception, toute récente, à l'Académie Française, le 16 février 1775). Parvenu à ce faîte de la gloire il ne pouvait que déchoir : c'est peut-être le résultat que l'on voulait atteindre en le faisant entrer dans le Ministère...

Il est regrettable que nous n'ayons pas la suite de la lettre, car Malesherbes y dénonçait peut-être un dessein prémédité, une sorte de conspiration tendant à le perdre dans l'esprit du peuple.

1776.

Je crois que cette lettre devoit estre une réponse à M... (1) *je ne me le rappelle pas précisement.*

(*Apostille de la main de Malesherbes*).

Je suis touché au dernier point, Monsieur, de la confiance que vous me marqués et de l'intérest qui vous a engagé

(1) Le nom est illisible.

à m'instruire de ce qu'on dit de moy. Le seul moyen de reconnoitre un semblable service est d'y repondre par une entière confiance quand on le peut et non seulement je le peux parce que je ne me suis jamais caché de mes principes, mais je vous avoue que je suis enchanté d'en avoir une occasion.

J'ignore, Monsieur, si la confiance du roy vous met à portée de luy parler de ce qui peut interesser son gouvernement. Je l'ignore et je ne peux vous faire sur cela aucune question. Vous me repondriés surement que vous ne luy parlés jamais de rien ; c'est votre devoir de me faire cette reponse, ainsi je ne vous feray point de question indiscrète. Mais sans vouloir penetrer le secret que vous ne voulés ny ne devés me dire, je pense que ce n'est pas un tems perdu que celuy d'instruire sur des choses importantes un honneste homme qui approche du roy de plus près que personne et peut avoir dans bien des momens plus de part à sa confiance que personne.

C'est de choses très importantes que je vais vous parler quoy que ce ne soit que de moy, parce que mon existence et les motifs de ma conduite tiennent de si près au gouvernement du royaume dans votre pensée que je ne peux parler de moy sans parler des principes de l'administration de ce royaume.

Il y a un an, Monsieur, que je jouissois de la plus grande considération à laquelle un homme de mon état peut parvenir, la plus grande peutetre dont un particulier puisse jouir apres celle d'un general d'armée. Consideration à laquelle je n'avois jamais aspiré, consideration beaucoup trop grande et très superieure à celle que je meritois. Ce n'est point pour faire parade de modestie que je vous le dis car en vous le disant je vais vous le prouver. Le public honoroit ma fermeté pour m'estre exposé à la disgrace de louis 15 plus qu'il n'a honoré aucun de ceux qui ont mille fois sacrifié leur vie à la guerre. Il honoroit mes talens pour avoir mieux ecrit que Mrs du Parlement qui sont les plus mauvais ecrivains du siècle, plus qu'il n'honore les talens des plus beaux genies. Je ne peux pas me tromper sur cet enthousiasme du public puisque j'ay recu plus d'une fois des applaudissemens du public entier. Je conviens que je meritois l'estime du public, mais cet excès d'estime n'estoit pas proportionné à ma valeur. Quoy qu'il en soit j'en jouissois avec plaisir, et sans y avoir jamais aspiré je croignois beaucoup d'en decheoir, parce que je scavois qu'on perd tout quand on perd un peu dans l'opinion publique, et que ceux qui sont parvenus à ce faîte de gloire ne peuvent descendre sans tomber dans l'humiliation. Je scavois aussi que le moyen certain de m'en faire decheoir estoit de m'appeler au ministere, et c'est ce que je vais vous expliquer.

Il faut que vous scachiés qu'ayant paru dans le monde comme le defenseur des parlemens... (*Inachevé*).

*
* *

RELATION DE LA CONVERSATION DE MALESHERBES AVEC LA REINE (1776)

En étudiant les raisons de la retraite de Malesherbes en mai 1776, nous avons fait état (*Malesherbes, témoin et interprète...* p. 391) des intrigues de la Cour, de l'ingérence de Marie-Antoinette dans les affaires du royaume, des factions rivales qui se déchiraient notamment à propos de l'affaire du Comte de Guines. A cet égard cette « *relation* » de la conversation que Malesherbes eut un jour avec la Reine est un document d'une grande importance. Marie-Antoinette soutenait le Comte de Guines, ambassadeur de France à Londres, et s'opposait à son rappel souhaité par Vergennes, Turgot et d'autres ministres. Il fallait la persuader de ne plus se mêler de cette affaire. Comme aucun autre ministre n'osait s'y hasarder, Malesherbes se dévoua, au risque de s'attirer à nouveau l'inimitié de la Reine qui déjà lui avait manifesté peu de bienveillance lorsqu'il était entré dans le ministère.

Il relate ici l'entretien qu'il eut avec la Reine (*date probable fin mars* 1776) (1) et loue celle-ci de la sagesse dont elle a fait preuve en renonçant à s'ingérer dans une affaire qui ne la concernait pas.

Remarquons que Malesherbes s'abstient de porter un jugement précis et formel sur le comte de Guines ; peut-être n'était-il pas coupable ; mais sa conduite politique était telle qu'elle imposait son rappel, ne serait-ce qu'aux fins d'une plus ample information.

Adrien-Louis de Bonnières, comte puis duc de Guines (1735-1806) après s'être distingué pendant la guerre de Sept ans, comme colonel puis brigadier des armées du Roi, fut envoyé en Prusse avec une mission militaire, puis nommé ambassadeur à Berlin en 1768 ; il échoua dans ses efforts pour établir des relations de bonne harmonie entre la France et la Prusse. Nommé à l'ambassade de Londres en 1770, il entama avec le Cabinet britannique des négociations qui n'aboutirent point et se trouva dans une position difficile lorsque le gouvernement français manifesta ouvertement ses sympathies pour les colonies américaines insurgées.

A ces difficultés politiques s'ajoutèrent des ennuis privés : sa liaison avec la belle et célèbre Lady Craven fit scandale ; scandale aussi le procès que lui intenta son secrétaire Tort de la Soudre (2).

Rentré en France en 1776, il reçut du Roi, peu après, le titre de duc, il reprit du service dans l'armée en qualité de lieutenant général, puis devint gouverneur de l'Artois en 1788. Il émigra sous la Révolution et rentra en France sous le Consulat.

---

(1) Le comte de Guines fut rappelé au début d'avril.

(2) Qui l'avait accusé de contrebande sous le couvert de l'ambassade.

On reprochait au comte de Guines non seulement ses tractations avec le Cabinet de Saint James, mais d'avoir failli faire rompre le Pacte de famille. Les Espagnols se plaignaient de lui. « *Cet ambassadeur s'était avisé de déclarer sans autorisation au ministre anglais et ensuite à Masserano, ambassadeur d'Espagne à Londres, que, dans le différend entre l'Espagne et le Portugal, la France n'assisterait pas l'Espagne si l'Angleterre n'assistait pas le Portugal* ». (Lavisse, *Histoire de France,* tome 9, p. 104).

Vergennes se méfiait du comte de Guines, élégant et beau parleur, et Beaumarchais, son agent secret, qui se trouvait à Londres à cette époque, préconisait dans ses rapports le rappel de l'ambassadeur.

Quant à Marie-Antoinette, elle était exaspérée contre Vergennes, Malesherbes et Turgot. Si elle céda, ce fut à contrecœur et elle n'eut de cesse que le comte de Guines fût fait duc. C'est ce qui arriva en effet peu après le 10 mai, au lendemain du départ de Turgot et de Malesherbes.

Un peu plus tard, la Reine demanda au Roi, qui accepta, de donner à la fille du duc de Guines, qui se mariait avec le fils du maréchal de Castries (3), une dot de 300.000 livres.

Relevé de ma conversation avec la reine dont je luy ay envoyé la copie.

J'ay averti la reine que la protection qu'elle accordoit à l'ambassadeur en Angleterre nuisoit au service du roy, et il est évident qu'elle y nuisoit si dans les affaires importantes qu'on traite par cet ambassadeur ou dans les partis decisifs qu'on vouloit prendre sur luy, les ministres qui conseillent le roy en cette partie n'estoient retenus que par la protection toute puissante de la reine.

C'est ce que j'avois cru voir et l'evenement à prouvé que je ne m'estois pas trompé puisque M. de Guines a été rap-

(3) Armand Charles Augustin, marquis de Castries (1756-1842). Le mariage est lieu en 1778.

pelé des qu'on a scu que la reine ne s'y opposoit plus. C'estoit donc sa protection seule qui gesnoit le conseil du roy sur un parti aussi important que le rappel d'un ambassadeur d'Angleterre.

C'est moy qui ay fait la démarche parce qu'il etoit necessaire qu'elle fut faite et que je voyois que d'autres ministres evitoient de la faire par des considérations qui leur sont personnelles. Par cette meme raison je ne les ay point prevenus pour ne les pas compromettre.

Je me souviens et j'espere que la reine s'en souviendra aussi qu'elle me demanda si ce n'estoit point l'effet de quelque intrigue secrette contre M. de Guines. J'eus l'honneur de lui repondre que je n'agissois que de mon seul mouvement et uniquement d'apres ce que j'avois entendu au conseil, que d'ailleurs je ne pretendois pas condamner la conduite de M. de Guines sans l'entendre, que je ne scavois de ses affaires que ce qui avoit eté lu en ma presence, que ne n'avois eu sous les yeux ny ses depêches ny ses instructions pour les comparer et les discuter, mais que par le seul rapport fait au conseil j'en scavois assés pour assurer la reine que c'estoit un genre d'affaires ou elle doit laisser aux ministres la liberté entiere de proposer au roy les partis qu'ils croyent les meilleurs, et qu'au reste si M. de Guines eprouvoit une disgrace, la reparation seroit aisée, qu'alors il auroit tout à attendre de la justice du roy et de la bonté de la reine et que les graces et les marques de distinction dont il est susceptible le dedommageroient amplement de ce qu'il auroit perdu.

La reine a bien voulu suivre mon conseil, elle a retiré la protection qu'elle accordoit à M. de Guines quant aux affaires de son ambassade. Alors on a mis sans doute sous les yeux du roy la conduite politique de cet ambassadeur puisque le roy à jugé à propos de le rappeler. Cela ne me regarde pas, mais ce qui m'intéresse c'est de justifier l'avis que j'ay... (1) donner à Sa Majesté.

Aujourd'huy les amis de M. de Guines se donnent de grands mouvemens. J'ignore quel en sera le succès, mais quel qu'il puisse être, quand M. de Guines sortiroit triomphant de son affaire, quand tous les ministres du roy seroient convaincus d'avoir été dans leur tort, il seroit toujours vrai que la reine a pris dans cette occasion le meilleur parti qu'elle put prendre, je diray meme le seul qu'une reine doive jamais prendre.

Il est vrai aussi que celui qui a averti la reine de ce qui se passoit a rempli son devoir. Il falloit qu'elle fut avertie et qu'elle le fut par lui puisqu'elle ne l'estoit pas par d'autres. En effet puisqu'il est certain aujourd'huy que c'estoit la protection seule de la reine qui empechoit le rappel de M. de Guines, quels reproches ne se fust-elle pas faits un jour s'il fut arrivé dans les affaires de l'Europe quelque grand malheur qu'on put imputer à un ambassadeur soutenu par elle contre le gré et contre le sentiment du ministre des affaires etrangeres et de tout le conseil.

A MAUREPAS

J'espère, Monsieur, que le roy n'aura pas oublié...

Cette lettre à Maurepas et qui, d'ailleurs inachevée, n'a probablement pas été envoyée, fut sans doute écrite fin mars ou en avril 1776 ; elle est une des nombreuses démarches que Malesherbes fit à cette époque pour être déchargé des fonctions minis-

(1) Un mot illisible.

térielles. Il faut avouer que nous ne laissons pas d'être quelque peu agacés par la ténacité qu'il apporte à répéter que c'est sous la contrainte et à des conditions strictes qu'il a accepté d'entrer dans le ministère, et à faire valoir sa prétendue inaptitude à la conduite des affaires. (On se reportera d'ailleurs à notre ouvrage, 1re partie, chap. XIII, pp. 309 et suiv. où sont exposées toutes ses hésitations et ses résistances.)

Quand Malesherbes dit que jusqu'à l'âge de 54 ans il ne s'est jamais occupé d'administration, il oublie que pendant treize ans il avait eu la charge de la Librairie. Or, qu'était cela sinon de l'administration ?

A M. de Maurepas. [1776]

> « Il *paroit* (1) que c'est à M. de Maurepas que cette lettre devoit etre adressée ».

Ces mots (écrits très postérieurement) de la main de Malesherbes.

J'espere, Monsieur, que le roy n'aura pas oublié avec combien de repugnance je suis entré dans le ministere, que je n'y suis meme arrivé qu'après une lettre de S.M. que j'ay du regarder comme un ordre exprès, et dans laquelle S.M. à bien voulu me marquer que ce seroit pour un tems très court. Vous scavés aussi, Monsieur, que ce n'estoit point une façon de parler du moment, vous n'ignorés pas qu'avant meme que je fusse rappelé de l'exil plusieurs de vos amis qui sont aussi des miens avoient formé le projet de proposer au roy de m'appeler dans son conseil, qu'on voulut me pressentir, qu'on fit auprès de moy les plus fortes instances, qu'on chercha à y employer tous ceux à qui on croyoit du credit sur mon esprit, que je resistay constamment à toutes

(1) Mot douteux.

ces demarches de vive voix et par ecrit. Mes refus furent motivés (2). Je scais, Monsieur, que mes lettres vous furent communiquées et on m'a assuré que vous en aviés lue une au roy luy meme.

Depuis mon retour à Paris et depuis que le roy a nommé un garde des Sceaux, mes amis n'ont cessé de me faire les memes instances je pourrois dire les memes persecutions. J'ay toujours perseveré dans mon refus jusqu'au moment qui a fait le malheur irreparable de ma vie, celuy ou vous avés engagé le roy à m'ecrire luy-meme.

Le roy m'a fait entrer malgré moy dans son conseil moy qui jusqu'à l'age de cinquante quatre ans ne m'estois jamais occupé ny d'administration ny de politique et qui par consequent n'y sera (*sic*) jamais propre, car on ne scait jamais bien ce qu'on n'a pas appris etant jeune, et d'ailleurs depuis que je suis ministre l'experience m'a fait connoitre que dans cet état il est impossible de rien apprendre, tout le tems estant employé aux expeditions journalieres. Je scais qu'il n'y à point de maistre des requestes qui ne se croye capable de diriger telle partie de l'administration qu'on voudra luy confier, soit justice, finance, guerre, marine, affaires étrangeres. Je scais aussi que beaucoup de gens de la Cour sans avoir fait autant d'etudes que les maistres des requestes *s'en* (1) chargeroient d'un departement avec une egale confiance. Pour moy, Monsieur, je n'ay ny cette facilité de travail ny cette presomption et il n'est ny juste ny possible...

(*Inachevé*).

(2) Il était question, à ce moment-là, de le nommer garde des Sceaux.

(1) Il faut lire sans doute *se*.

LETTRE AU ROI (1776)

« *Je ne voudrois point importuner votre Majesté* »...

Cette lettre date des derniers jours d'avril ou des premiers jours de mai 1776, alors que Malesherbes est sur le point de quitter le Ministère pour les raisons que l'on connaît : sa solidarité avec Turgot, cause de la froideur que lui témoigne le Roi, l'impossibilité où il se trouve d'aboutir à une réforme de la Maison du Roi, les intrigues de certains grands personnages de la Cour, l'hostilité de la Reine, à quoi nous devons ajouter son désir souvent exprimé de se décharger du souci des affaires et de reprendre son indépendance.

Malesherbes recommande ici au Roi quelques affaires dont il s'est particulièrement occupé. On rapprochera ce texte du « *mémoire testamentaire* », écrit à l'heure même de son départ et que nous avons analysé dans *Malesherbes, témoin et interprète de son temps*, 2e partie, chap. Ier, pp. 394-397.

L'affaire du logement des gardes françaises, dont il dit également dans le mémoire testamentaire qu'elle est « la plus importante de celles qu'il a rapportées », est en effet une de celles qui l'ont le plus occupé durant son ministère (Cf. *ibidem* p. 344). Le régiment des gardes françaises (premier des régiments d'infanterie), était chargé d'assurer, avec d'autres unités, *la garde du dehors*, c'est-à-dire l'ordre et la sécurité de Paris en cas de troubles, par opposition à ce qu'on appelait *la garde du dedans*, attachée spécialement à la personne royale.

Nous ne savons pas quel est le travail que le cardinal de Luynes a prié Malesherbes de présenter au Roi. Paul d'Albert de Luynes (1703-1788), d'abord abbé de Cerisy, puis évêque de Bayeux, soutint les droits de l'Eglise contre la magistrature et défendit les Jésuites. Evêque de Sens en 1753, cardinal en 1756, il était membre de l'Académie Française ; il fut premier aumônier de la Dauphine, mère de Louis XVI.

Gaspard, duc de Clermont-Tonnerre, maréchal de France (1688-1781), se signala dans de nombreuses campagnes : Bohême

(1741) défense de l'Alsace et siège de Fribourg, prise de Tournay, bataille de Laufeld. Doyen des maréchaux de France, il présidait le « tribunal des maréchaux » établi pour juger les questions de point d'honneur et éviter les duels ; c'est de ce tribunal qu'il s'agit sans doute ici.

Rappelons enfin que le *Conseil des Dépêches* dont il est question dans cette lettre, fut, à partir de Louis XIV, une des quatre sections du Conseil d'Etat du Roi, à laquelle étaient dévolues les questions de l'administration intérieure, tandis que le « *Conseil d'en Haut* » était doté d'attributions politiques.

[1776]

Sire,

Je ne voudrois point importuner votre majesté en luy demandant un nouveau travail. Voicy deux ou trois objets pressés qu'elle pourra peut etre expedier sans travail particulier.

M. le Cardinal de Luynes que sa paralysie empeche d'aller à Versailles m'a prié de presenter un travail qu'elle a la bonté d'approuver chaque année. Je pourrois le luy presenter au Conseil d'etat en la suppliant d'y mettre son approbation.

M. le Marechal de Tonnerre m'a écrit au nom du tribunal pour demander à votre majesté un ordre que je ne peux pas signer sans y etre authorisé par elle. Je pourrois au commencement du conseil en dire un mot à votre majesté en presence de M. de Maurepas. Ce n'est precisement qu'un mot.

Enfin dans le dernier conseil des depeches, j'ay rapporté à votre majesté l'affaire du logement des gardes françaises.

Il à eté decidé que la competence pour les contestations seroit donnée au prevost des marchands, mais il n'a pas été expliqué si c'estoit au prevost des marchands seul ou au bureau de la ville entier. Si je suis encore au prochain conseil des depèches, j'y demanderay cette explication. Mais si votre majesté croit que ma retraite doive preceder ce conseil, il est necessaire que je luy demande ses intentions à elle meme.

Je dois observer à votre majesté que cette affaire est la plus importante que j'aye remportée (1) au conseil et meme la seule importante, que personne n'avoit jusqu'a present pris sur luy d'en parler, quoyque tout le monde convint de l'abus comme V.M. l'a vu au conseil, et qu'il est tres à craindre qu'apres moy elle ne soit oubliée, qu'elle est tres intéressante pour les habitans des fauxbourgs de Paris et qu'il est très digne de votre majesté de veiller elle meme à ce qu'elle soit suivie.

*
* *

LETTRE AU ROI (1776)

(début : « *Votre majesté m'a appelé au Ministere auquel je n'avois jamais aspiré...* »).

Cette lettre, qui est, comme Malesherbes l'écrit lui-même, un brouillon, a sans doute été écrite aux environs de Pâques (qui tombait cette année le 7 avril), puisqu'il est question de l'ordre

---

(1) Sans doute une erreur, lisons *rapportée.*

du Roi qui diffère de Pâques à la Pentecôte la retraite de Malesherbes.

Celui-ci réitère ses doléances si souvent exprimées : il a accepté d'entrer dans le Ministère sur l'ordre exprès du Roi, et à condition de n'y rester que peu de temps ; il ne peut rendre des services assez importants pour que l'on songe à le retenir ; il fait état de l'impossibilité où il se trouve de mener à bien l'importante réforme, tant attendue, de la Maison du Roi.

Il fait allusion au « grand travail » qu'il a fait exécuter dans ses bureaux, par ses commis, sur le détail de cette réformation de la Maison du Roi. Nous en avons parlé dans notre ouvrage, 1re partie, chapitre XIV, *le Ministère de dix mois*, p. 340. Quant au « mémoire de vues générales » qui est, dit-il, *son ouvrage* et dans lequel il démontre au Roi la nécessité de confier l'ordonnancement des dépenses à d'autres qu'aux grands officiers de la couronne, c'est le mémoire qui sera présenté au Roi le 13 avril 1776 (1), que nous avons longuement analysé (*ibidem*, p. 337-339) et qui énonce les principes que Malesherbes considère comme la condition absolue d'une réforme de la Maison du Roi.

Malesherbes demande donc au Roi d'accéder au désir qu'il a de se retirer du Ministère. Mais auparavant il veut être reçu. Or c'est avec la plus grande amertume qu'il se voit (tout en demeurant au Conseil, quel paradoxe !) éloigné de la personne du Roi et dans l'impossibilité de lui parler seul à seul. Depuis deux mois Louis XVI le tient en demi-disgrâce et se refuse à le recevoir. Humiliation sans précédent qu'il subit avec douleur.

Sur les motifs de cette disgrâce, on se reportera à notre ouvrage, 2e partie, chapitre I, *la Retraite de Malesherbes*, p. 393 : Dans une lettre à son amie Madame Douet (20 juin 1776), Malesherbes dira que s'il avait perdu à cette époque la confiance du Roi, c'est parce que celui-ci « *le regardait comme le défenseur continuel de l'homme qui faisait journellement tout ce qu'il fallait pour lui déplaire* », c'est-à-dire Turgot. Pour regagner cette confiance il aurait dû abandonner Turgot, et cela il ne le pouvait pas, bien qu'il fît tous ses efforts pour l'empêcher de commettre des maladresses.

---

(1) Cette lettre, qui annonce ce mémoire, est donc antérieure au 13 avril.

Si Malesherbes demande à être reçu par le Roi, ce n'est pas seulement parce qu'il souffre de la situation humiliante dans laquelle il se trouve, c'est encore parce que n'ayant jamais flatté le Roi et lui ayant toujours parlé avec franchise, il considère qu'il a, au seuil de sa retraite, des choses nécessaires à lui confier tant sur le choix de son successeur que sur les tâches que celui-ci devra mener à bien (1). Louis XVI est né pour faire le bonheur de son peuple : Malesherbes doit donc lui dire ce qu'il pense des vrais moyens de remplir sa haute mission.

Brouillon qui n'a pas été (2 mots illisibles). [1776]

(*Apostille de la main de Malesherbes*).

Sire,

Votre Majesté m'a appellé au ministere auquel je n'avois jamais aspiré et ne m'estois jamais preparé. J'ay resisté autant qu'un sujet peut resister à un maitre ; j'ay obei à des ordres auxquels V.M. à ajouté qu'elle vouloit bien que je ne me chargeasse de cette place que pour tres peu de tems. J'ay cru que ce tems seroit expiré aux festes de Pasques parce que depuis que je connois le departement qui m'est confié je vois *clairement* (2) que je n'y peux pas rendre à V.M. des services asses importans pour m'y retenir et parce qu'il faut travailler serieusement à mettre dans votre maison la reformation qui... (3) est demandée par toute la France. Cet ouvrage pour lequel je me crois moins propre qu'à tout autre ne doit estre commencé que par celuy qui sera asses longtems en place pour l'achever.

---

(1) En quoi il se trompe, car son successeur — qu'il n'aura d'ailleurs pas souhaité — s'empressera de détruire l'œuvre commencée par lui.

(2) Mot douteux.

(3) Un mot illisible. (De même à la page suivante, ligne 6).

J'ay fait faire dans mes bureaux un grand travail qu'il auroit fallu que mon successeur fit faire comme moy pour avoir sous les yeux le tableau de toute l'operation, ainsi il n'y aura point de tems perdu, et j'ay redigé aussi un memoire de vues generales, et celuy la est mon ouvrage, j'y ... à V.M. la necessité de confier l'administration des depenses pecuniaires à d'autres que les grands officiers de la couronne. Cette operation prealable pouvant faire de puissans ennemis à celuy qui la proposera j'ay cru qu'il estoit de mon devoir de ne pas laisser cette charge à un autre.

J'ay fait part de mon projet de retraite à M. de Maurepas deux mois auparavant pour qu'il put en prevenir V.M. et qu'il eut le tems de reflechir au choix qu'il vous proposeroit. V.M. scait que depuis ces deux mois je n'ay pu luy parler à elle meme. Elle ne m'a permis de travailler avec elle qu'une seule fois et elle m'avoit fait dire qu'il luy seroit desagreable que je luy en parlasse. Le meme defense de la part de V.M. m'a été reiterée depuis et on m'a annoncé que V.M. veut que ma retraite soit differée de Pasques à la Pentecoste, c'est donc l'impossibilité de parler qui me determine à ecrire. Ce delai me fait quelque peine mais comme elle m'est personnelle il est inutile d'en entretenir Votre Majesté.

Ce qui m'affecte sensiblement c'est cette defense de parler à V.M. elle meme. Permettez moy d'observer que je ne crois pas qu'elle ait jamais été faite à aucun de vos ministres. Si je ne suis pas digne d'estre entendu par Votre Majesté sur ma retraite et sur le departement dont j'ay eté honoré, suis-je digne de rester un seul jour dans votre conseil [?]

Rien n'est plus humiliant pour moy que d'estre reduit à

ce silence et je crois Sire, n'avoir pas merité cette humiliations (3). Je ne crois pas meme que V.M. veuille me la faire subir et je crois que M. de Maurepas qui à suivi cette affaire et qui m'a toujours marqué de l'estime et de l'amitié n'a pas songé assés au role qu'il me fait jouer (4).

Un motif encore plus puissant m'engage à insister pour etre entendu de V.M. c'est que j'ay la confiance de croire qu'il ne sera pas inutile pour votre service de m'entendre.

Je scais tout ce qui me manque pour le ministere et je m'en suis souvent expliqué avant d'y entrer et depuis. Mais si j'ay quelque merite auprès de V.M. c'est celuy de lui avoir toujours parlé avec une franchise sans reserve sur les parties du gouvernement que je connois.

Je n'ay été sans doute appellé auprès de V.M. que pour luy dire la verité qu'on me croyoit incapable de dissimuler. Je vous l'ay dite, Sire, et le sentiment dont je suis profondement affecté me force à ajouter que je vous l'ay dite lors meme qu'elle à été contraire à mes interests les plus chers. J'ay sacrifié à cette verité que je vous dois une faveur publique dont j'avois recu des temoignages peutetre superieurs à mon merite mais dont je jouissois et dont j'estois flatté. J'oseray encore faire observer à V.M. qu'il est bien rare qu'on fasse de tels sacrifices quand on n'y est porté par aucune vue d'interest ou d'ambition dont heureusement je ne suis pas susceptible. Je les ay faits en connoissance de cause car je l'avois *annoncé* (5) avant d'entrer en place à tous ceux qui vouloient m'y attirer et ils ont scu que c'estoit une

(3) Var. *Je vais plus loin,* je ne crois pas que V.M. ...

(4) Var. n'a *surement* pas asses *reflechi* sur le role... (Nous soulignons les mots biffés).

(5) Mot douteux.

des principales causes de ma repugnance. Je les ay faits sans l'esperance d'aucune grace de V.M. car dans la position ... (6) ou je suis mon honneur exige de n'en accepter aucune.

Or, si cette verité à laquelle je me suis devoué peut jamais estre utile à V.M. c'est dans ce moment, Sire, dans le moment de ma retraite, dans celuy ou vous allés choisir mon successeur.

Si le parti que je prends et que j'ay toujours voulu prendre ecarte de moy tout soupçon de flatterie, je finiray en disant à V.M. que j'ay toujours vu en elle des dispositions plus favorables que dans aucun prince pour faire le bonheur d'une grande nation et que je me reprocherois eternellement de n'avoir pas fait tous mes efforts pour estre admis à luy exposer une derniere fois ma facon de penser sur les vrais moyens de remplir cette auguste destination.

Je crois qu'il y a du mal entendu dans cette defense de parler à V.M. Ce seroit un etat bien humiliant que celuy d'un ministre à qui il seroit defendu de parler au roy luy meme de sa retraite et du sort du departement qui luy a eté confié, et certainement V.M. ne croit pas que j'aye merité une humiliation. J'ay au contraire la confiance de croire que les explications que je pourray avoir avec Votre Majesté ne seront pas tout à fait inutiles pour son service.

Si le parti que je prends et que j'ay toujours voulu prendre ecarte de moy tout soupçon de flatterie, j'oseray dire à V.M. qu'aucun prince n'est né avec des dispositions plus heureuses qu'elle pour faire le bonheur d'une grande nation et je me reprocherois eternellement d'avoir quitté son

---

(6) Un mot illisible, peut-être *irrégulière*.

service sans luy dire une derniere fois ce que je pense des vrais moyens de remplir cette auguste destination (7).

*
* *

LETTRE AU ROI
(avril 1776)

(Début : « *Votre Majesté n'a pas oublié qu'elle ne m'a ordonné...* »

Autre mouture de la lettre précédente avec laquelle elle offre de grandes ressemblances pour le fond et même pour la forme.

Il y a pourtant quelques différences :

1) Elle est un peu moins longue.

2) Il fait intervenir davantage Maurepas (cité trois fois).

3) Il explique pourquoi le délai qu'on lui impose « *de Pâques à la Pentecôte* » lui est pénible.

4) Il ne fait pas allusion aux travaux qu'il a fait exécuter par ses commis ou qu'il a exécutés lui-même sur la réformation de la Maison du Roi.

5) Il insiste sur la « *répugnance* » avec laquelle il est entré dans le Ministère et sur la médiocrité de ses aptitudes aux affaires.

Pour tout le reste : sacrifices qu'il a consentis en acceptant les fonctions ministérielles, ce qui entraîne la ruine de sa popularité, humiliation que lui inflige le Roi en refusant de lui accorder un entretien, — obligation de dire la vérité à un roi qui est destiné à faire le bonheur de son peuple, — nécessité d'obtenir très rapidement une audience du Roi, ne serait-ce que pour l'entretenir du choix de son successeur, — les deux textes sont presque identiques.

N. B. — Cette lettre est écrite sur un papier de plus grand format que la précédente.

---

(7) Ces deux derniers paragraphes reprennent en des termes légèrement différents, ou — en ce qui concerne le dernier — presque semblables ce qui a été dit plus haut. Il est évident que Malesherbes, s'il avait donné à cette lettre une forme définitive, n'aurait pas laissé subsister de telles répétitions, qui ne sont que des tâtonnements.

[Avril 1776].

Sire,

Votre majesté n'a pas oublié qu'elle ne m'a ordonné de me charger du ministere que pour tres peu de tems. J'ay pensé que ce tems etoit expiré, et depuis que je connois le departement qui m'est confié, il m'est demontré plus que jamais que je ne peux pas y rendre des services asses importans pour m'y retenir.

J'ay cru devoir prevenir M. de Maurepas dans l'esperance qu'il en préviendroit aussi votre majesté et je voulois luy donner à luy meme le tems de faire toutes ses reflexions sur le choix qu'il auroit à vous proposer.

Votre majesté scait que pendant ces deux mois il ne m'a pas été possible de luy parler à elle meme puisqu'elle ne m'a permis de travailler avec elle qu'une seule fois et que M. de Maurepas me dit de sa part qu'il luy seroit desagreable que je luy parlasse de ma retraite [et m'a annoncé depuis que votre majesté avoit fixé ma retraite à la pentecoste]. (1)

Il m'a reiteré depuis quelques jours par ecrit la meme defense de la part de votre majesté *et m'a informé en meme tems que V.M. avoit fixé ma retraite à la pentecoste* (2). C'est donc dans l'impossibilité de parler que je me suis determiné à ecrire.

Ce delai de pasques à la pentecoste à pu paroitre indifférent à votre majesté. Pour moy il est tres douloureux

(1) Ces mots entre crochets ont été biffés.

(2) Ces mots que nous soulignons ont été mis en surcharge.

pour des raisons qui me sont personnelles ainsi qui ne sont pas dignes de vous etre expliquées. J'ay eté obligé de mettre dans le secret de ma retraite ceux (3) qu'elle interesse trop pour n'en etre pas prevenus d'avance. Je crois qu'on en a fait confidence à quelques autres (4). Bientost tout le monde le scaura et une administration est mal... (5) dans les mains de celuy qu'on scait qui va la quitter.

Ce qui m'affecte le plus c'est la defense de parler à votre majesté, dont je ne scaurois concevoir le motif. C'est une humiliation que je ne crois pas avoir meritée et je suis persuadé que M. de Maurepas qui m'a toujours donné des marques d'amitié n'a pas songé (2 *ou* 3 *mots sont illisibles*). Si je ne suis pas digne de parler à votre majesté de ma retraite et du parti qu'elle prendra sur le departement dont elle m'avoit honoré, je ne conçois pas qu'elle me garde un seul jour dans le ministere.

Votre majesté scait avec combien de repugnance j'y suis entré. Je prevoyois aisement ce qui devoit arriver. D'ailleurs je ne m'aveuglois pas sur mes talens. Je ne me croyois ny ceux qu'il faudroit pour mettre dans votre maison la reformation que toute la France vous demande, ny celuy de vous donner des avis utiles sur les affaires d'Europe dont j'ay trop peu de connoissance. Mais peutetre suis-je aussi capable qu'un autre de conferer avec votre majesté sur les parties du gouvernement que je connois.

Je ne me suis donc cru appelé aupres de votre majesté que pour luy dire sur ces objets la verité sans aucune

---

(3) Au lieu de *ceux* il avait d'abord écrit : *deux ou trois personnes.*

(4) Première rédaction *: Je crois etre sur qu'il y à aussi quelques personnes à qui M. de Maurepas en a fait confidence.*

(5) Un mot illisible.

reserve et je vous l'ay dite, Sire, lors meme qu'elle à eté contraire à mes interest les plus chers : j'y ay fait le sacrifice d'une réputation due peut etre en partie à l'enthousiasme public pour la cause que j'avois defendue et que moy meme je trouvois excessive mais dont cependant il etoit impossible que je ne fusse pas tres flatté.

J'ose vous assurer, Sire, qu'il est rare qu'on fasse ce sacrifice quand ce n'est pas par des vues d'interest ou d'ambition dont heureusement je ne suis pas susceptible. Je l'ay fait en connoissance de cause car longtems avant d'entrer dans le ministere je l'avois annoncé à tous ceux avec qui j'ay eu à m'en expliquer et j'avoue que c'estoit une des principales causes de ma repugnance. Je l'ay fait sans esperance d'aucune grace de votre majesté, car dans la position irregulière ou je suis mon honneur est interessé à n'en recevoir aucune.

Or s'il est un moment ou la verité dite par moy puisse encore etre utile à votre majesté, c'est celuy de ma retraite, c'est celuy ou votre majesté va se determiner sur le choix important de mon successeur.

Je m'acquitte pour la dernière fois de mon devoir en faisant à votre majesté cette tres humble representation, et si le parti que je prends et que j'ay toujours voulu prendre est fait pour eloigner de moy tout soupcon de flatterie, je finirai en disant à votre majesté que jamais prince n'est né avec des dispositions plus favorables qu'elle pour faire le bonheur d'une grande nation, mais que j'ay vu quelquefois avec douleur qu'on ne luy proposoit pas les partis les plus propres à remplir cette auguste destination.

Je suis avec le plus profond respect et la plus parfaite soumission, Sire, de votre majesté, le tres humble, tres obeissant et tres fidele serviteur et sujet,

Malesherbes.

LETTRE A LA CHALOTAIS

(13 mai 1776)

Cette lettre à La Chalotais, écrite le lendemain du jour où Malesherbes donna sa démission de ses fonctions de Secrétaire d'Etat à la Maison du Roi, est intéressante à un double titre : d'abord parce qu'elle témoigne des relations que Malesherbes entretenait avec le procureur général au Parlement de Bretagne ; ensuite parce qu'elle concerne les raisons profondes qui l'ont amené à démissionner, raisons dont il fera également confidence quelques semaines plus tard au baron de Breteuil dans une lettre du 27 juillet (cf. plus loin, page 137). Ces raisons se ramènent à trois principales :

1°) Son peu d'aptitude aux affaires et notamment son peu de goût pour les fonctions d'administration.

2°) L'impuissance où il était de faire aboutir ses projets sur la réforme de la Maison du Roi (il en parle plus longuement ailleurs, notamment dans sa lettre à Breteuil).

3°) La pénible nécessité où il se trouvait de soutenir la politique royale (il s'agit des réformes de Turgot) en brisant la résistance de la magistrature et des Parlements, alors qu'il avait été, des années durant, sous Louis XV, le porte-parole et le défenseur de cette même magistrature en butte à l'arbitraire royal.

On voit d'après cette lettre (cf. le paragraphe 3) que Malesherbes, bien qu'il ait maintes fois, dans les solennelles remontrances de la Cour des Aides, soutenu la thèse que les Cours souveraines (« *les Corps Intermédiaires* ») sont les défenseurs attitrés des droits et des intérêts de la Nation et même les représentants de cette nation, n'en est plus aussi fortement persuadé en 1776. Son expérience lui a prouvé que la magistrature, avec ses préjugés tenaces et ses intérêts de corps, n'est pas toujours qualifiée pour défendre les droits du peuple et que c'est seulement *à défaut et en l'absence* d'une représentation directe (c'est-à-dire d'une Assemblée Nationale élue) que les Parlements peuvent être considérés comme les représentants légitimes de la Nation (1).

Les relations de Malesherbes avec La Chalotais étaient assez anciennes. Elles paraissent remonter au temps où La Chalotais, adversaire actif des Jésuites, publiait son livre qui devint vite célèbre, sur *l'Education nationale* (1763). Malesherbes, partisan fervent de la liberté de l'enseignement, n'avait pas été convaincu par ses idées ; il n'en estimait pas moins l'auteur, « magistrat d'un grand merite dont le livre a remporté un grand succès » (2). Rappelons que La Chalotais, avocat général, puis procureur général au Parlement de Bretagne, après avoir rompu des lances, pour défendre les privilèges de la noblesse bretonne, contre le duc d'Aiguillon, gouverneur de la province, fut gravement compromis dans l'affaire des lettres anonymes adressées au ministre Saint-Florentin. Affaire retentissante qui le fit enfermer dans la citadelle de Saint-Malo, où il écrivit des pamphlets redoutables. Finalement Louis XV l'exila à Saintes avec son fils et quatre conseillers au Parlement de Rennes. A l'époque où Malesherbes écrit cette lettre, La Chalotais a été rappelé de l'exil par Louis XVI et réintégré dans ses fonctions ; une complète réparation lui a été accordée.

Dans le dernier paragraphe de sa lettre, Malesherbes laisse prévoir un prochain voyage en Bretagne (3) ; il entreprit effectivement ce voyage dans l'été de 1779 et il séjourna un certain temps à Brest. (Cf. *Malesherbes, témoin et interprète*, pp. 477 et 534).

---

(1) Sur cette question capitale, la pensée de Malesherbes ne cessera d'évoluer dans ce sens jusqu'en 1789.

(2) Cf. *Malesherbes, témoin et interprète*, p. 455.

(3) Le Château de Rosanbo se trouve dans les Côtes-du-Nord, aux confins du Finistère, près de Plouaret.

Lettre à M. de la Chalotais.

A Paris, ce 13 mai 1776.

(*suscription et date de la main de Malesherbes*).

Il y à longtems, Monsieur que j'ay recu de vous une lettre bien flatteuse, mais à laquelle il estoit impossible de repondre alors avec la franchise que je vous dois sans manquer au secret que le roi m'avoit prescrit.

J'en suis affranchi aujourd'huy car j'ay donné ma demission hier et je peux vous faire confidence que cela étoit convenu avec le roi quand je suis entré dans le ministere. Je n'ay jamais eu de goût pour cet etat par plusieurs raisons dont la principale étoit certainement que je ne m'en croyois pas les talens.

D'ailleurs je vais vous faire un aveu qu'un homme comme vous ne desapprouvera pas. Mon etat ainsi que le votre à eté pendant toute ma vie de combattre pour les interests du peuple contre le ministere. Cependant à moins d'estre aveuglé par l'esprit de parti on ne scauroit disconvenir qu'un royaume seroit bien mal administré, si le roi abandonnoit toute son autorité aux corps de magistrature qui ne sont qu'un seul corps dans l'etat et pas meme un ordre, qui à quelques egards n'ont pas asses de connoissance des vrais interests du peuple et peuvent même avoir des préjugés de corps qui y soient contraires, qui par consequent ne peuvent jamais être reputés les seuls representans de la nation ou ne le sont que parce qu'il n'y en à pas d'autres.

C'est ce que j'ai toujours pensé, Monsieur, et sans m'en être jamais expliqué avec vous, je suis sur qu'un homme aussi eclairé que vous ne peut pas penser autrement. J'ay donc cru qu'il y avoit des cas ou le roi jugeant par luy meme des vrais interests de la nation, puisque dans la constitution actuelle il ne peut pas la consulter, devoit user de son autorité malgré le vœu contraire des parlemens, et je prevoyois que je serois obligé d'opiner d'apres ce principe quand je serois appellé au conseil, ce qui étoit une des principales causes de la peine que je me faisois d'y entrer.

lettre à M. de la Chalotais
à paris le 13 mai 1776

C

il y a longtemps Monsieur que j'ay receu de vous une lettre bien flatteuse, mais à laquelle il estoit impossible de repondre alors avec la franchise que je vous dois sans manquer au secret que le roi m'avoit prescrit.

j'en suis affranchi aujourd'huy car j'ay donné ma demission hier et je peux vous faire confidence que cela étoit convenu avec le roi quand je suis entré dans le ministere. je n'ay jamais eu de goût pour cet etat par plusieurs raisons dont la principale étoit certainement que je ne m'en croyois pas les talens.

d'ailleurs je vais vous faire un aveu qu'un homme comme vous ne desapprouvera pas. mon etat ainsi que le vôtre a eté pendant toute ma vie de combattre pour les interests du peuple contre le ministere. cependant à moins d'estre aveuglé par l'esprit de parti on ne sçauroit disconvenir qu'un royaume seroit bien mal administré si le roi abandonnoit toute son autorité aux corps de magistrature qui ne sont qu'un seul corps dans l'etat et par meme un ordre, qui a quelques egards n'ont pas assez de connoissance des vrais interests du peuple et peuvent meme avoir des prejugés de corps qui y soient contraires, qui par consequent ne peuvent jamais estre reputés les seuls representans de la nation ou ne le sont que parcequ'il n'y en a pas d'autres.

c'est ce que j'ai toujours pensé, Monsieur, et sans m'en être jamais expliqué avec vous, je suis sur qu'un homme aussi eclairé que vous ne peut penser autrement.

j'ai donc cru qu'il y avoit des cas où le roi n'ayant pas les vrais representans de la nation, n'est que dans la constitution actuelle il ne peut pas les consulter ~~ne pouvant pas estre éclairé des suffrages de la nation comme il ne peut jamais par notre constitution actuelle~~, doit user de son autorité malgré le voeu contraire des parlemens, et c'est pourquoi que je serai obligé d'agir d'après ce principe quand je serois appellé au conseil; ce qui étoit une des principales causes de la peine que je me faisois d'y entrer.

Le roi m'a donné des ordres absolus avec la condition expresse que ce ne seroit que pour un tems tres court, il à fallu y obéir.

Ce que j'avois prevu est arrivé. J'ay fait mon devoir dans le conseil comme à la teste de la cour des Aides. J'y ay parlé aussi fortement qu'aucun autre et j'y ay paru à decouvert, parce que c'est mon caractere duquel je ne me departirai jamais. Mais c'est avec une repugnance que je ne scaurois vous exprimer et au moins ai je voulu prouver par ma prompte retraite que l'amour du ministere et l'ambition n'ont point influé sur ma conduite.

Je conviens, Monsieur, que j'aurois du sacrifier mes repugnances et m'exposer meme à des reproches non merités si je m'etois cru plus capable qu'un autre de faire le bien de l'etat, mais je n'ay pas eu cette presomption surtout dans le departement qui m'etoit confié.

Beaucoup de parties d'administration me sont tout à fait etrangeres et apresent que je connois le courant journalier du ministere, je ne concois pas qu'on ait le tems d'y apprendre ce qu'on ne scavoit pas auparavant. Dans les parties que je connois d'avantage, ce qu'il y à à faire ne dependoit pas de moy et est en tres bonne main, mais en attendant je trouve qu'un homme dont la facon de penser est connue et à eté imprimée joue un role asses desagreable au conseil jusqu'à ce que ce qu'il à annoncé comme bon soit executé. Au reste, Monsieur, j'ay retiré de mon court ministere la satisfaction de sçavoir que nous avons un roi dans qui la justice, la bonté et de plus l'amour de l'ordre et de [la] regle, ce qui est bien plus rare chez les princes, sont des sentimens innés. Ainsi nous avons tout à attendre de son règne. Je luy ay dit dans toutes les occasions ce que je pouvois scavoir et il m'a permis de le luy laisser par ecrit. Je ne crois point manquer à son service en renoncant à l'administration que j'estois bien sur qu'il ne confieroit qu'a des personnes tres dignes de sa confiance.

le roi m'a laissé les affaires étrangères avec la condition expresse que je ne serois que pour un temps très court, il a fallu obéir.

Ce que j'avois prévu est arrivé. J'ay fait mon devoir dans le conseil comme à la tête de la cour des aides. J'y ay parlé aussi fortement qu'aucun autre et j'y ay paru à découvert, puisque c'est mon caractère duquel je ne me départirai jamais. Mais c'est avec une répugnance que je ne sçaurois vous exprimer et aussi ai je voulu prouver par ma prompte retraite que l'amour du ministère et l'ambition n'ont point influé sur ma conduite.

Je confesse, Monsieur, que j'aurois dû sacrifier mes répugnances et m'exposer même à des reproches non mérités si je m'étois cru plus capable qu'un autre de faire le bien de l'Etat, mais je n'ay pas eu cette présomption surtout dans le département qui m'étoit confié.

Beaucoup de parties de l'administration me sont tout à fait étrangères et à présent que je connois le courant journalier du ministère, je ne conçois pas qu'on ait le temps d'y apprendre ce qu'on ne sçavoit pas auparavant. Dans les parties que je connois davantage, ce qu'il y a à faire ne dépendoit pas de moy et est en très bonnes mains, mais en attendant je trouve qu'on ignore dans la façon de penser au conseil et ce qui est imprimé fort un rôle assez désagréable au conseil jusqu'à ce que ce qu'il a arrêté comme bon soit exécuté.

Au reste, Monsieur, j'ay retiré de mon court ministère la satisfaction de sçavoir que nous avons un roi dans qui la justice, la bonté, et de plus l'amour de l'ordre et de la règle, ce qui est bien plus rare chez les princes, sont des sentiments innés. Ainsi nous avons tout à attendre de son règne. Je luy ay dit dans toutes les occasions ce que je pensois sçavoir et il m'a permis de le luy laisser par écrit. Je ne suis point à son service en renonçant à l'administration que j'étois bien sûr qu'il ne confieroit qu'à des personnes dignes de sa confiance.

Je ne me dissimule pas que mes amis qui pensent trop favorablement de mes talens me font des reproches et qu'ils pretendent que mon amour pour la tranquillité et surtout pour la liberté me fait illusion. Pour moy je peux vous assurer seulement que je suis de tres bonne foi.

Oserois je vous demander, Monsieur, des nouvelles de votre santé. On m'assure qu'elle est bonne apresent et cependant on ne nous donne pas d'esperance prochaine que vous veniés faire quelque voyage dans ce pays cy, ce qui est bien facheux pour ceux qui vous honorent autant que moy. Mais il y a une autre esperance a laquelle je ne renonce pas. J'ay une fille mariée à M. de Rosa*m*bo (*sic*) qui à des terres en Bretagne, ma fille desire beaucoup d'y aller et je vous demanderai vos bontés pour elle et son mari. De plus comme je suis actuellement un etre tres libre, ils me demandent avec instance d'aller les y voir quand ils feront ce voyage. Cette proposition me flatte beaucoup puisqu'elle me donneroit une occasion d'avoir l'honneur de vous voir et de vous assurer de vive voix du bien sincere attachement avec lequel j'ay l'honneur d'estre, Monsieur, votre tres humble et tres obeissant serviteur,

Malesherbes.

je ne me dissimulle pas que mes amis qui connoissent trop la sensibilité de mes talens me font des reproches et qu'ils prétendent que mon amour pour la tranquillité et surtout pour la liberté me fait illusion. pour moy je peux vous assurer seulement que je suis de très bonne foi.

oserois je vous demander, Monsieur, des nouvelles de votre santé. on m'assure qu'elle est bonne à présent et cependant on ne nous donne pas d'espérance prochaine que vous veniés faire quelque voyage dans ce pays cy, ce qui est bien fâcheux pour ceux qui vous honorent autant que moy. mais il y a une autre espérance à laquelle je ne renonce pas. j'ay une fille mariée à M. de Rosanbo qui a des terres en Bretagne. ma fille desire beaucoup d'y aller [et je vous demanderai vos bontés pour elle et son mari] & de plus comme je suis actuellement en état d'être très libre, ils me demandent avec instance d'aller les y voir quand ils feront ce voyage. cette proposition me flatte beaucoup puisqu'elle me donneroit une occasion d'avoir l'honneur de vous voir et de vous assurer de vive voix du bien sincère attachement avec lequel j'ay l'honneur d'estre, Monsieur, votre très humble et très obéissant serviteur,

Malesherbes

*
* *

LETTRE A MAUREPAS

(La Rocheguyon, 2 juin 1776)

Cette lettre a été écrite par Malesherbes trois semaines après sa démission du Ministère, au cours d'un bref séjour qu'il fait chez la Duchesse d'Enville au château de La Rocheguyon et peu avant d'entreprendre ses voyages dans le Sud-Ouest de la France d'abord, et ensuite dans les Pays-Bas.

On se reportera à notre ouvrage *Malesherbes, témoin et interprète...* 2e partie, chapitre II (*Malesherbes, après sa retraite du ministère. Le Mémoire sur les affaires de religion*, pp. 415 et suiv.) Cette lettre à Maurepas (Maurepas, principal ministre, sert d'intermédiaire entre Malesherbes et le Roi) accompagne donc l'envoi du long et très important *Mémoire sur les Affaires de religion* qui comprend trois parties d'inégale longueur : le Jansénisme, les Jésuites, la condition des Protestants.

C'est à cette lettre et au mémoire que répondra la lettre de Maurepas (Marly, 11 juin 1776) que nous avons trouvée dans les archives de Tocqueville et que nous avons reproduite dans notre ouvrage, pp. 414 - 415.

Ni dans cette lettre du 11 juin, ni dans sa lettre précédente à laquelle Malesherbes fait ici allusion, Maurepas ne laisse beaucoup d'espoir sur l'adoption rapide par le Roi des idées développées par Malesherbes dans son mémoire, notamment sur le problème des Protestants. Mais Malesherbes ne se laisse pas décourager pour autant.

On notera l'allusion qu'il fait à deux projets qui lui tiennent à cœur et qu'il n'a encore fait qu'effleurer : l'établissement d'assemblées municipales, et la réforme (ou la suppression) des lettres de cachet. On sait combien cette seconde question l'avait préoccupé dès son entrée au Ministère et avec quelle énergie il avait essayé de lutter contre les abus des lettres de cachet ; il développera plus tard ses idées sur cette réforme nécessaire dans un mémoire d'une importance capitale : le *Mémoire sur les Ordres du Roi.*

A Monsieur de Maurepas.

(*Minute de ma lettre à M. de Maurepas en luy envoyant mon memoire sur les affaires de religion*).

A La Rocheguion, ce 2 juin 1776.
(*Apostille et date de la main de Malesherbes*).

Je conçois, Monsieur, par quelques mots de la lettre que vous m'avés fait l'honneur de m'ecrire qu'il n'y à pas d'apparence que les vues du memoire que je vous envoye soient adoptées quant a present. Je vous avoue que je m'en etois douté surtout depuis que ce memoire est fait et que j'y ay reflechi apres le premier moment de ferveur. Il s'ensuit que ce seroit abuser de votre complaisance de vous prier de le lire d'autant plus qu'il est beaucoup trop long parce que pour prevenir les objections j'ay voulu y mettre bien des choses qui ont eté dites cent fois et que vous scavés infiniment mieux que moy.

Il y à seulement deux reflexions que je ne peux pas croire tout à fait inutiles parce que ce ne sont pas celles qu'on à toujours faites et qu'elles me paroissent décisives pour ce moment. J'ay pris le parti de souligner les endroits ou elles sont developpées.

L'une concerne les protestans. Toutes les fois que j'en ay parlé au roy sa seule reponse à eté que c'est une grande et difficile affaire. Elle est certainement grande par son objet et son utilité, mais je crois que c'est l'affaire la plus simple et la plus aisée dans son execution et la moins dangereuse dans ses consequences si on la reduit à rendre legitimes leurs mariages sans le ministere des pretres catholiques et surtout si on ne demande pas auparavant aux eveques un consentement qu'ils refuseront toujours avant que la loy ne soit faite, quoy que je sois très persuadé que quand elle le sera, tres peu d'entre eux oseront la blamer et qu'il soit sur qu'au moins ils *n'oseront* (1) aucun moyen pour s'y opposer.

L'autre est sur l'affaire du jansenisme. Je pense qu'on pourra trouver de la resistance de la part des parlemens si on propose uniquement de rendre aux ex-jesuites l'etat et la liberté dont jouissent les autres pretres sujets du roy, et qu'on peut prevoir aussi une reclamation du clergé si on ne fait que revoquer les lettres de cachet obtenues par les eveques, mais que si on fait les deux operations ensemble encore que l'une soit la compensation de l'autre, il n'y aura des deux partis que de tres faibles objections et que l'applaudissement sera presque general.

Je suis si fortement persuadé de ces deux verités et je crois le moment present si avantageux pour agir en consequence que je n'ay pu resister à la tentation de l'ecrire dans l'instant de ma retraite et peut etre me serois je toujours reproché de ne l'avoir pas fait.

Quant aux autres articles de mon memoire au roy je n'ay rien à ajouter sur la pluspart. Il y en a seulement deux tres importans que je n'ay fait qu'indiquer. L'un est l'etablissement d'assemblées municipales qui auroient pour le roy et pour le peuple les avantages des etats provinciaux sans en avoir les inconveniens et qui debarasseroient le roy des instances qu'on commence à luy faire et que je prevois qu'on luy fera pendant tout son regne pour obtenir de vrais etats soit provinciaux soit generaux, l'autre concerne les mesures à prendre pour obvier aux abus et à l'arbitraire des lettres de cachet.

(1) Mot douteux.

Comme je crois aussi mes principes bons à ces deux egards, j'espere qu'un jour le roi les adoptera ou plustost qu'il fera dans les memes vues beaucoup mieux que ce que j'aurois pu luy proposer. Mais j'ay lieu de croire qu'il est tres eloigné de s'en occuper dans le moment present, ainsi il n'y faut plus penser.

Je vous prie, Monsieur, de croire que malgré les dernieres paroles que le roy a daigné me dire, je ne me crois point du tout authorisé à luy donner des conseils pour le reste de ma vie. J'y ay vu une marque de sa bonté dont je conserverai toujours la plus respectueuse reconnoissance, mais je ne me donnerai pas le ridicule de vouloir m'en faire un titre pour l'importuner encore de mes idées et la demarche que je viens de hasarder sera certainement la derniere de ce genre que je me permettrai.

Je vous prie d'etre persuadé de l'inviolable attachement avec lequel j'ay l'honneur d'etre Monsieur

votre tres humble et...

***

LETTRE AU BARON DE BRETEUIL
(27 juillet 1776)

Malesherbes s'est à plusieurs reprises expliqué sur les motifs de sa retraite du ministère en mai 1776. Cf. en particulier, dans notre ouvrage, le mémoire qu'il adressa à Séguier, membre de l'Académie de Nîmes, le 10 juin 1776 (*Malesherbes, témoin et interprète de son temps*, 2e partie, Chapitre II, p. 412-413) et lettre à Madame Douet (*ibid.*, Chapitre I, p. 392-393).

Mais la lettre qu'on va lire, adressée au baron de Breteuil, alors ambassadeur à Vienne, offre un intérêt encore plus grand que les textes précédents, car Malesherbes y explique sans rien dissimuler les causes de sa répugnance à accepter des fonctions ministérielles.

Il a été, dit-il, pendant de longues années le chef de l'opposition, personnifiant la résistance de la magistrature au pouvoir despotique. Mais cette attitude ne signifiait pas pour autant qu'il approuvait toutes les ambitions de la magistrature et notamment celles du Parlement... En l'absence de représentation nationale, la magistrature était l'unique sauvegarde des citoyens contre les entreprises du despotisme, mais cela n'impliquait pas qu'elle dût dominer l'administration du royaume. La magistrature, en effet, n'est point *un corps choisi par la nation et ayant mission d'elle.*

Malesherbes prévoyait que le Parlement, une fois rétabli, allait exploiter son triomphe et voudrait « *s'emparer de l'administration* ». Il n'a donc pas hésité à mettre le nouveau Roi en garde contre ces inadmissibles empiètements de la magistrature. En faisant cela, il n'a nullement renié son attitude passée. Mais il sentait bien que, s'il devenait ministre, il risquerait de se trouver dans une position très difficile, car lui, le porte-parole de la magistrature, serait dans l'obligation de contrecarrer maintenant les vues et les ambitions de cette même magistrature.

C'est ce que comprenaient bien quelques personnes qui ont visiblement cherché à le placer dans cette situation difficile. Il semble même, d'après cette lettre, que Malesherbes ait considéré qu'en acceptant de devenir ministre, il tombait dans une sorte de piège (1). C'est pourquoi, il n'a accepté les fonctions qu'on lui offrait avec tant d'insistance, que pour une durée très limitée et il ne cache pas qu'il pouvait paraître paradoxal que le Roi ait accepté de nommer un ministre pour une durée de quelques mois seulement.

La fin de la lettre offre moins d'intérêt car Malesherbes ne fait qu'y répéter ce qu'il a souvent dit, qu'il n'est pas fait pour les détails de l'administration, et d'autre part qu'il est très difficile dans l'état actuel des choses de réaliser une véritable réforme de la Maison du Roi.

Dans les derniers alinéas, il fait allusion à l'imminence de son départ. En effet, cette lettre est datée du 27 juillet, le jour même ou, à la rigueur, la veille de son départ pour la Hollande ;

---

(1) Même idée et même soupçon dans la lettre citée plus haut, Réponse à M. ... (Cf. page 105).

c'est le même jour 27 juillet, qu'il envoie à Vergennes, son ancien collègue, ministre des Affaires étrangères (qui vient de lui adresser son passeport), le programme détaillé de son voyage (Cf. *Malesherbes*, pp. 520-521). Le surlendemain 29 il sera à Saint-Omer, en route vers les Pays-Bas, où il passera le reste de l'été et une partie de l'automne.

A Monsieur le Baron de Breteuil, à Vienne.

A Paris ce 27 juillet 1776.
(*Date de la main de Malesherbes*).

Je suis bien sensible, mon cher cousin, à l'interêt avec lequel vous me parlés de ma retraite, et je vais m'en expliquer avec une verité que je dois à votre amitié, et dont je ne pouvois pas user pendant que j'etois en place parce qu'alors j'etois obligé au secret.

Ce secret auquel je ne suis plus astreint aujourd'hui, est que dès mon arrivée au ministere, il fut convenu par ecrit, et de la main du Roi, que je n'y resterois que ce peu de tems. J'y avois une répugnance dont je vous exposerai tout à l'heure les raisons. On persuada au Roi que je lui serois utile dans son Conseil. Il daigna me le mander dans des termes apres lesquels il n'y avoit d'autre parti a prendre que d'obeir mais il me marqua en meme tems que ce n'etoit que pour quelques mois qu'il exigeoit de moi ce sacrifice. Vous trouverés peut-être singulier de prendre un Ministre pour un terme si court. Je le pensois comme vous, je n'ai cessé de le representer à ceux qui en avoient conçu le projet. Je n'eus pas le bonheur de les persuader, et comme alors eux persuadoient le Roi, ils le determinèrent à me donner cet ordre absolu.

Voici à present les causes de ma repugnance. Je fais trop de cas de votre estime pour ne vous les pas exposer, car je suis dans une position diametralement contraire à celle de presque tous les autres ministres. Les autres ont ordinairement à se justifier d'un excès d'ambition et moi au contraire je scais qu'on m'a accusé d'une indifference coupable pour la cause publique.

Vous allés en juger.

Vous scavés que j'ai passé ma vie dans la Magistrature en qui reside en France ce qui dans d'autres pays s'appelle le parti de l'opposition. J'ai donc eté dans l'opposition parce que je me suis trouvé dans des circonstances ou j'ai cru le devoir, et j'y ai mis plus de chaleur qu'un autre, parceque j'ai suivi mon caractere. Je n'ai jamais aimé à entrer dans les affaires, mais quand j'y ai eté forcé, je n'ai jamais connu de ménagemens ni de politique et j'ai toujours marché à découvert et le premier. Ce n'est pas la marche d'un homme qui auroit aspiré au Ministere, mais c'etoit la mienne et on ne se refond pas.

Il s'en falloit cependant beaucoup que je ne fusse parlementaire, et sur cela voici quels ont toujours eté mes principes.

Je regarde la Magistrature comme un corps necessaire à conserver dans notre constitution, parceque ce corps est le gardien des loix qui reglent les interets des citoyens, et qui font leur unique sauvegarde contre les entreprises du despotisme. Je conviens que ce frein est très faible dans les affaires publiques, mais il a toujours de l'efficacité dans les affaires particulieres, et voilà pourquoi j'ai toujours resisté a Mrs de Maupeou et Terrai qui après avoir eté comme moi dans l'opposition avoient voulu aneantir la Magistrature et auparavant à M. de la Nervi qui avoit voulu la corrompre ce qui ne valoit pas mieux.

Mais il n'en est pas de meme de l'administration, et tout magistrat que j'etois, j'ai toujours pensé comme, à ce que je crois, tous les gens raisonnables, qu'on ne doit pas donner une influence principale dans l'administration aux Parlemens. 1° parceque ce corps est composé de gens qui n'y ont jamais eté initiés, qui n'en ont jamais fait leur etude et n'en ont aucune connoissance. 2° parce que la Magistrature n'est point en France un corps choisi par la nation et ayant mission d'elle, que nos magistrats au contraire ne sont choisis que dans un seul ordre de citoyens et parconsequent ont une foule de prejugés et d'interets contraires au vrai bien de l'Etat. Ainsi j'ai toujours pensé et dit quand j'en ai eu l'occasion que lorsque le Roi voudroit se faire eclairer contre les surprises des Ministres par le suffrage de la Nation, ce ne seroit point l'ordre seul des jurisconsultes qu'il faudroit regarder comme les representans du peuple. Je m'en suis meme expliqué clairement au nom de la Cour des Aides dans des remontrances qu'on me demanda qui ne fussent pas imprimées et que je voudrois bien a present qui l'eussent eté, car je n'aurois pas de manifeste à vous donner de ma conduite.

Malheureusement pour moi cette façon de penser etoit connue de tous les gens avec qui j'avois vecu, et il y en avoit alors dans le Ministere, et c'est justement pour cela qu'ils ont mis une obstination incroyable à m'y faire entrer. C'est aussi precisement pour cela que je ne le voulois pas. Il etoit aisé de prevoir qu'il y auroit bientot des occasions, ou le Parlement rétabli avec l'air de triomphe voudroit s'emparer de l'administration, projet que ce corps a toujours eu et qu'il est impossible qu'il n'ait pas depuis qu'on ne convoque plus d'etats du Royaume, que la pluspart des provinces n'ont meme pas d'etats particuliers, ainsi, que la plus grande partie de la nation est sans representans. Il etoit donc evident que quelque chose que le Gouvernement voulut faire, il y trouveroit des oppositions de la part des Parlemens uniquement pour se distinguer par cette opposition, qu'alors il faudroit non pas corrompre ni aneantir la Magistrature, mais user de l'autorité contre le gré de la Magistrature, que tout Ministre qui donneroit au Roi un autre conseil trahiroit sa confiance, mais en meme tems que je reconnoissois que le Roi devroit user de son autorité, il me sembloit que ce n'etoit pas à moi à en etre l'instrument, et je suis bien sur que tout homme raisonnable et honnete trouvera que j'avois evidemment raison.

Ce que j'avois prevu est arrivé et ne pouvoit pas ne pas arriver. J'ai pris mon parti. J'ai dit mon avis au Roi comme Ministre et en suivant toujours mon caractere. Je n'y ai pas mis plus de politique n'y de reserve que si je n'avois jamais eu de liaisons avec les parlemens. Mais je vous assure qu'il m'a fallu bien plus de courage pour parler à Louis XVI contre la Magistrature, que pour en imposer à toute l'animadversion de Louis XV pour la cause de la Magistrature (1).

Cependant je n'ai voulu m'y devouer qu'en annonçant publiquement et hautement ma retraite. Je me fais gloire d'avoir donné au Roi en me retirant le conseil le plus contraire aux sentimens de mon cœur, mais je n'aurois pu supporter le reproche d'avoir changé de principes en changeant d'etat, ni d'avoir travaillé pour l'autorité des Ministres

(1) Est-il besoin de souligner l'importance de cette déclaration qui donne la clef de presque toute la conduite de Malesherbes à cette époque ?

en paroissant travailler pour celle du Roi par attachement à ma nouvelle place. Je n'ai donc pu rendre ma conduite aussi nette qu'il me convient qu'elle le soit que par ma prompte abdication.

Je ne disimule pas que j'ai des amis qui répondent à cela que je n'ai donc agi que par un motif purement personnel à moi, et qui soutiennent que je pouvois faire du bien par ma perseverance dans le Ministere, et que j'aurois du tout y sacrifier. Je leur suis très obligé de la bonne opinion qu'ils ont de moi, mais pour exiger de moi un tel sacrifice il faudroit donc me prouver que reellement je pouvois faire dans ma place un bien qui ne seroit pas fait par d'autres, et c'est la ce que je n'ai pas pu croire.

Vous connoissés assés le travail du Cabinet en France pour scavoir qu'aucune affaire importante n'est traitée que dans le travail particulier et secret du Ministre avec le Roi, ainsi que chaque Ministre n'a d'influence que dans son departement. J'etois donc reduit à la petite administration de M. de la Vrillière, administration de details qui sera egalement bien faite par tout homme qui y mettra de l'honneteté et de l'application.

Quant à l'honneteté, je vous predis que tout ministre choisi par ce roi ci, se picquera d'en montrer parcequ'on scait que le roi le veut.

Quant à l'application, bien des gens sont capables d'en donner, d'ailleurs je vous avouerai que dans ce petit departement il n'en faut pas meme une fort grande quand on à de bons commis, car c'est reellement un departement de commis. Or je n'avois pas la vanité de me croire propre à devenir un grand ministre, mais je n'avois pas non plus l'humilité de consacrer ma vie entiere à une besogne de commis.

Vous me dirés que ce n'etoit pas une si petite operation que celle de reformation economique de la maison du Roi qui a eté annoncée. Il m'est impossible de vous répondre categoriquement sur cet article dans une lettre. Je vous observerai seulement qu'il faut pour cette operation deux choses, une volonté ferme dans le projet, et un homme fait pour les plus grands details dans l'exécution. Or je vous avoue et j'ai avoué au Roi que je n'etois pas l'homme fait pour ces details et je n'en ai point rougi, parceque c'est un genre d'administration dont je ne me suis jamais mêlé et que je ne suis pas de ceux qui croyent que tout homme est egalement propre à toute espece de travail ; quant à la volonté ferme il ne suffit pas que ce soit celle du Ministre de la Maison de Roi, il faut que ce soit celle du Roi luimeme et de son premier Ministre. Et si le Roi a cette volonté ferme comme je n'en doute pas, il trouvera aisement des gens plus propres que moi aux details de l'execution. Je lui ai laissé en le quittant plusieurs memoires et entre autres pour lui demontrer la necessité de cette operation et lui tracer le plan general dans lequel elle doit etre faite. Je ne scais s'il adoptera mes idées, ou si on lui en donnera de meilleures, mais c'est tout ce que je pouvois faire.

Je m'aperçois, mon cher cousin, que ma lettre est beaucoup plus longue que je ne le croyois quand je l'ai commencée. Je vous demande pardon de l'ennui qu'elle vous a causé, mais on est toujours diffus quand on n'a rien a faire et quand on parle de soi.

Vous me parlés des voyages qu'on vous à dit que j'allois faire.

Il est vrai que je vais courir le monde pendant quelques tems, et si j'etois guidé uniquement par mon sentiment, ce seroit surement a Vienne que je porterois mes pas. Mais dans la position ou je suis, et dans les premiers momens ou je suis sorti du Ministere, je crois qu'il est convenable de ne point se montrer dans les pays ou il y à de grandes cours, et vous penserés surement aussi que c'est le parti le plus sage. C'est l'obstacle qui s'oppose quant à present au desir bien sincere que j'aurois d'aller vous voir.

Vous connoissés, mon cher Cousin, l'attachement inviolable avec lequel j'ai l'honneur d'être votre très humble et très obeissant serviteur.

CHAPITRE SIXIÈME

Un autre Rousseau

Date inscrite en tête de la minute [1766]

(*d'une main autre que celle de Malesherbes*).

Date probable : 1781.

A Monsieur le Comte de Sarsfield.

Ce Vendredy au soir

Je me crois obligé en conscience, mon cher Sarsfield, de vous envoyer avant votre depart pour Versailles la lettre de M. Rousseau dattée de ce matin que je viens de trouver en rentrant chez moy.

Vous y verrès qu'il est dans son bon sens, et que de plus il a le cruel souvenir de l'ètat ou il estoit hier, car cette lettre n'est ecrite èvidemment que pour l'excuser.

Je ne peux pas vous exprimer toute la pitié que me fait ce malheureux homme, et la peine que je me fais d'en donner avis à ceux à qui il voudroit le cacher, quoyqu'en meme tems je sente que l'intérest majeur de l'Etat exige qu'ils en soient avertis.

Pour acquitter ma conscience je vais vous faire le peu de rèflexions qui peuvent l'estre en sa faveur.

Une terreur excessive et mal fondée n'est pas precisement ce qui s'appelle folie. Il me parle des sujets de peine reels qu'il a eus, et par le peu que j'ay appris de ses affaires, je ne serois pas etonné qu'un homme susceptible de craindre eut pensé que soit les negocians de Marseille, soit les Anglois soit d'autres avoient interest à sa mort, puisque c'est de sa vie que depend une entreprise qui doit leur nuire. Il a pu croire aussi que les François dont il estoit devenu ennemi par ce projet pouvoient cabaler contre luy à la Cour. Son cousin le philosophe à cru à des complots contre luy qui estoient peutêtre encore moins vraisemblables. Ajoutés qu'il faut se mettre à la place d'un asiatique qui a passé sa vie dans un pays ou les assassinats sont tres communs et les routes tres peu sures, ajoutés que son imagination etoit exaltée par les terreurs de sa femme qui à sur luy un prodigieux empire à ce que m'a dit M..., (1) il n'est pas etonnant que cette femme parte (2) avec le plus grand effroy sachant que son mari a des ennemis, ne connoissant ny les mœurs ny la langue de notre pays. Et quel spectacle pour ce malheureux homme que celuy de cette femme en pleurs avec son enfant dans les bras.

Vous ferès de tout cecy, mon cher Sarsfield, l'usage que vous dicteront votre prudence et votre honnesteté.

Au reste quoyque je ne sois pas l'ami de M. de... (3) je scais d'après la reputation généralement etablie qu'il n'y a point de ministre entre les mains de qui le sort de ce malheureux homme soit mieux qu'entre les siennes et qu'il fera pour adoucir son sort tout ce qu'il pourra sans que l'affaire d'etat periclite.

---

(1) Nom illisible.
(2) Mot très douteux.
(3) Le nom n'est pas mentionné dans le manuscrit.

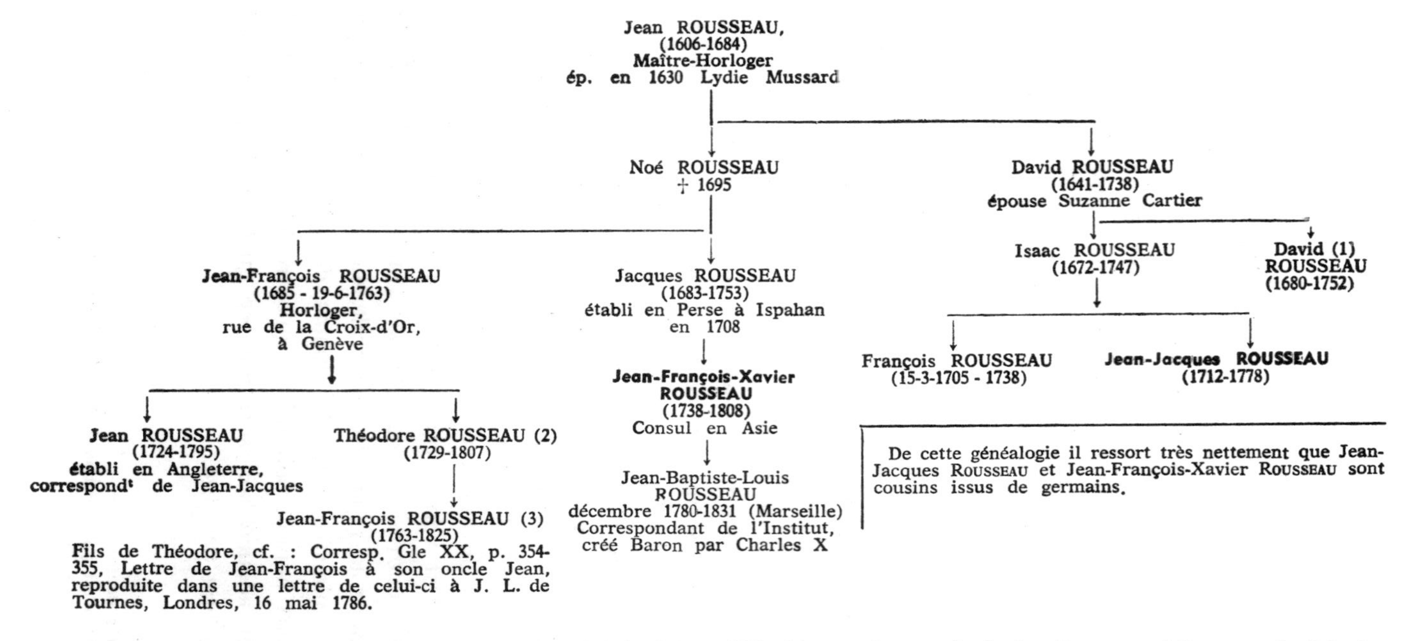

(1) Ce second David, oncle de Jean-Jacques, eut un fils, Gabriel (né en 1715), donc cousin germain de Jean-Jacques, qui figure sur la liste des personnes auxquelles J.-J. demande à Vernes d'envoyer un exemplaire de la *Lettre à d'Alembert*. François Rousseau, horloger, rue de la Croix-d'Or, y figure aussi. (Cf. : Corresp. Gle, tome IV, lettre 549, p. 72).

(2) Lettres de Théodore Rousseau à Corancez, des 9 juin et 21 juin 1798 C.(G. tome XX, Appendice pp. 360-362).

(3) Lettres de Jean-François à Lablée, avocat, 11 octobre 1800, et du même à Corancez, Genève, 29 novembre 1800 (C. G. tome XX, App. pp. 370 à 373) au sujet du manuscrit de *Rousseau juge de Jean-Jacques*.

Quant à moy, mon cher ami, qui ne suis plus rien dans l'affaire d'etat, qui ay seulement le devoir de bon Français à remplir, vous ne devez pas etre surpris de la peine que j'ay de porter un coup mortel à un malheureux homme qui m'a regardé pendant toute la journée d'hier comme son sauveur.

Je vous prie de bruler ma lettre et de me renvoyer celle de M. Rousseau afin que quand luy ou ses amis m'en parleront je puisse la leur montrer en original entre mes mains. Je ne crois point que ce soit fausseté de ma part de prendre cette précaution, c'est pour la tranquillité de ce malheureux qu'il faut excessivement menager que je ne veux pas luy laisser croire que je fasse passer ses lettres en d'autres mains.

***

LETTRE AU COMTE DE SARSFIELD SUR UN COUSIN DE J.-J. ROUSSEAU

« *Ce vendredy soir* » [1766 ?].

Cette lettre, à première vue étrange, et dont une simple lecture montre qu'elle ne peut concerner Jean-Jacques Rousseau, soulève plusieurs problèmes dont le principal est évidemment l'identité du Rousseau dont il est question.

Il résulte de nos recherches — et ce résultat a été confirmé par deux éminents spécialistes, MM. Bernard Gagnebin, doyen de la Faculté des Lettres de Genève et Charles Rowe, conservateur du musée J.-J. Rousseau à Montmorency dont nous avons demandé l'avis autorisé — que le Rousseau que cette lettre concerne, est un cousin issu de germain de Jean-Jacques, Jean-François-Xavier Rousseau, né en 1738, à Ispahan en Perse, mort à Alep en 1808, consul de France à Bassora dès 1773 et à Bagdad ensuite. (Cf. la notice que lui consacre Galiffe dans ses *Notices généalogiques sur les familles genevoises,* 1892, tome II p. 428) (1).

Le lecteur trouvera dans le tableau généalogique ci-joint, qui a été rédigé à notre intention par M. Charles Rowe, et que nous avons seulement complété par l'indication de quelques dates et l'addition de quelques détails, tous les renseignements permettant de situer Jean-Jacques Rousseau par rapport à ce cousin (asiatique) et à d'autres cousins, notamment Jean et Théodore, tous deux frères. Il ne faut pas en effet confondre Jean-François-Xavier avec Jean Rousseau (1724-1795) qui était établi négociant à Londres et qui épousa dans cette ville, le 13 août 1767, Jeanne-Marguerite Prêtre, d'origine vaudoise. Ce Jean Rousseau échangea avec Jean-Jacques, son illustre cousin, plusieurs lettres qui figurent dans la « *Correspondance générale* », notamment au cours de l'année 1766 (Cf. Dufour et Plan, tome XV p. 161 et 206, tome XVI p. 27, 65, 66, 130, 152, 288), où Jean-Jacques d'ailleurs, se montre tantôt très chaleureux, tantôt réservé et légèrement importuné.

Pour revenir à Jean-François-Xavier Rousseau « le Persan », M. Bernard Gagnebin nous fait part de son scepticisme quant à la date de 1766 inscrite en haut de cette lettre d'une main autre que celle de Malesherbes. En effet, si nous en croyons Galiffe (*loc. cit.* p. 428), le « Persan » aurait visité la France en 1780 ; ce séjour est attesté par deux lettres de Théodore Rousseau à Olivier Corancez reproduites dans la Correspondance générale, tome XX, Appendice p. 360-362. Ces deux lettres, qui sont respectivement des 9 et 21 juin 1798, et dont une grande partie est consacrée à Jean-Jacques, à sa mort, à Thérèse, à son testament, au sort de ses manuscrits et notamment des *Dialogues,* font état également de Jean-François-Xavier et du séjour qu'il fit en France en 1780-81. Dans la première de ses lettres, Théodore Rousseau s'exprime ainsi :

« *J'ai vu à Lyon le Persan à son passage pour Paris. Il emmena avec lui mon fils* (2), *ils restèrent ensemble* 14 *mois. L'aventure arrivée au Persan dans la forêt de Fontainebleau est bien telle que je l'ai sue. C'est peut être un esprit inquiet,*

---

(1) On trouvera dans cet ouvrage, de la page 412 à la page 431, tout un long article sur la généalogie de la famille Rousseau.

(2) Jean-François Rousseau (1763-1825), voir tableau généalogique.

deffiant (3), *comme sont ceux qui fréquentent en Turquie et en Asie les Arabes avec qui ils ont à faire...* »

Même jugement sur le caractère de Jean-François-Xavier dans la lettre de Théodore à Corancez du 21 juin suivant, avec des précisions sur l'accident de Fontainebleau.

« *Je vous ai dit de bouche au sujet de ce dernier* [*le Persan*] *qu'il etoit extremement méfiant et qu'il avoit ce défaut même en France comme il l'avoit en Asie avec les Arabes, ce qui étoit la cause de l'incartade qu'il commit dans la forêt de Fontainebleau où sa voiture se cassa, étant excessivement chargée; cela occasionna du retard, ce qui lui fit croire qu'on avoit eu dessein de l'assassiner. N'étant pas en état de suivre sa route, il revint à Paris où il resta encore un mois et repartit non pas, comme vous l'avez pensé, sans mission du gouvernement. Il avait été nommé consul à Bassora, il fut encore nommé consul de Bagdad parce qu'il avait été reconnu que personne autant que lui n'en était plus capable* (sic), *étant né dans le pays, le connaissant parfaitement, sachant nombre de langues nécessaires, etc...* ».

Si maintenant nous nous reportons à la lettre de Malesherbes, nous comprendrons que, lorsqu'il parle du délire de la persécution dont Jean-François-Xavier semble affligé comme l'avait été son illustre cousin, de sa hantise d'un complot et d'une tentative d'assassinat, il fait incontestablement allusion à l'aventure de la forêt de Fontainebleau (« *Il faut se mettre à la place d'un Asiatique qui a passé sa vie dans un pays où les assassinats sont très communs et les routes peu sûres* ») et il est infiniment probable que l'entrevue pathétique qu'il eut avec Jean-François-Xavier Rousseau, la veille du jour où cette lettre fut écrite, suivit de très près le retour du Persan à Paris après la prétendue tentative d'assassinat.

Autre raison de penser que cette lettre doit être datée de 1781 : la présence de la femme de Jean-François-Xavier, qui est représentée comme une étrangère, « *ne connaissant ni les mœurs ni la langue de notre pays* », en proie à des terreurs et pleu-

---

(3) Si Jean-François-Xavier avait des traits de caractère communs avec Jean-Jacques, il lui ressemblait davantage encore par le physique : si nous en croyons le témoignage de Corancez qui le vit longuement au cours d'un dîner chez Delessert en 1781 (et le témoignage de Delessert aussi), cette ressemblance était tellement saisissante que l'on croyait voir Jean-Jacques ressuscité. (Cf. : E. Ritter, dans *Annales de la Société J.-J. Rousseau,* VII, 1911, p. 95).

rant « *avec son enfant dans les bras* ». D'après Eugène Ritter (4) Jean-François-Xavier Rousseau s'est marié seulement en 1772 avec Anne-Marie Sahid, et leur fils Jean-Baptiste (qui devait faire sous l'Empire une assez brillante carrière consulaire) naquit en décembre 1780, précisément au cours du voyage de son père en France, *sur le coche d'Auxerre à Paris*. Il est donc tout naturel que Malesherbes l'ait vu, âgé de quelques mois, dans les bras de sa mère.

Enfin on pourrait faire remarquer que, si la lettre était de 1766, Malesherbes, sachant que Jean-Jacques se trouvait alors en proie au délire de la persécution, n'eût point, dans la phrase qui le concerne, employé le passé. En effet la phrase : « *Son cousin le philosophe a cru à des complots contre luy qui estoient peut être encore moins vraisemblables* » a bien le ton et la nuance qui conviennent à l'évocation d'un Jean-Jacques disparu et d'événements appartenant à un passé révolu : Malesherbes ne se serait pas exprimé ainsi pendant le séjour de Rousseau en Angleterre (5).

Reste un problème difficile à résoudre : quelles sont les affaires auxquelles se livrait Jean-François-Xavier, et en particulier quelle est la nature de celle qui tourmentait à un tel point ce malheureux pour lequel Malesherbes ressent une profonde pitié ? affaire commerciale, puisqu'il est question des négociants de Marseille et de ceux de Londres, mais aussi affaire grave qui touche à des intérêts d'Etat, puisque Malesherbes auquel Jean-François-Xavier Rousseau se confie comme à un sauveur, juge bon d'adopter une attitude dont seul un souci patriotique peut justifier la duplicité.

Pour élucider cette question nous nous sommes adressé à d'éminents connaisseurs du monde des affaires dans le Marseille du XVIIIe siècle : M. Louis Dermigny, professeur à la Faculté des Lettres de Montpellier, M. Charles Carrière, Professeur à la Faculté des Lettres d'Aix-Marseille et M. Ferréol Rebuffat, chef des services historiques de la Chambre de commerce de Marseille. Nous avons trouvé chez tous trois une serviabilité

---

(4) *Annales de la Société Jean-Jacques Rousseau*, t. VII, 1911, p. 92-93.

(5) Ajoutons encore que l'écriture, déjà crispée et par endroits mal déchiffrable, ne paraît pas être celle des années antérieures à 1770.

extrême et nous leur exprimons notre gratitude pour la peine qu'ils ont prise afin de satisfaire notre curiosité (6).

Sur le conseil de M. Charles Carrière et de M. Ferréol Rebuffat, nous nous sommes reporté à l'ouvrage de Paul Masson, *Histoire du Commerce français dans le Levant au* XVIIIe *siècle* (Paris 1911) où il est assez longuement question de Jean-François-Xavier Rousseau (chap. XV, *Les Echelles et l'expansion française en Syrie, en Asie Mineure et en Perse,* pp. 543-46, 547, 560).

C'est en 1766, nous dit Paul Masson, que Rousseau succéda, pour diriger l'agence de Bassora, à Petro de Perdriau, ex-agent de la Compagnie des Indes, qui rentrait en France par Alep. « *Pendant trente ans* (7) *cet obscur cousin de Jean-Jacques devait représenter la France au fond du golfe Persique* ». Dans l'esprit de Perdriau comme de Rousseau, il s'agissait de faire pièce aux Anglais et de redonner l'essor au commerce français en Syrie et en Perse. Dans un important rapport qu'il présenta en 1768 au duc de Praslin, Perdriau insistait sur l'importance de la place de Bassora et aussi sur celle de Bagdad qui « *doit se regarder comme l'entrepôt général des marchandises qui viennent des Indes* ». Et il démontrait que des deux routes, celle de la Méditerranée et celle de l'Océan par Bagdad et Bassora, la première était peut-être plus courte et moins périlleuse, mais beaucoup plus coûteuse (8). Le mémoire de Perdriau

---

(6) Remercions aussi M. Bernard Gagnebin qui a bien voulu faire quelques recherches sur ce problème et qui nous a écrit : « *J'ai examiné pour vous les catalogues de la Bibliothèque et des Archives de notre ville. J'ai feuilleté les ouvrages récents de H. Lüthy sur « la Banque protestante en France » et de Louis Dermigny sur certaines firmes du* XVIIIe *siècle, le nom de François-Xavier Rousseau n'y figure pas. Il n'a pas fait davantage l'objet de communications à la Société d'Histoire et d'Archéologie, et je ne vois vraiment pas comment répondre à la question précise de ses démêlés avec les banquiers marseillais.* »

Indiquons également que c'est M. Dermigny qui nous a conseillé de consulter M. Carrière et M. Rebuffat, comme les plus qualifiés pour nous renseigner sur la question qui nous préoccupe ici.

(7) Quand éclata la Révolution et même plusieurs années après, il était toujours consul à Bassora, mais depuis quelques années il résidait à Bagdad.

(8) Deux ans plus tôt, le 31 janvier 1766, signale P. Masson, Rousseau envoyait au Ministère un mémoire sur les luttes de deux chefs arabes dans les territoires du golfe Persique (Arch. Nat. K. 907, dossier XVII, n° 37). « *Mémoire sur la situation où se trouvaient à cette époque les affaires de deux pirates, Chek Selman Kiab et Mir Mana de Banderriq* » (Mémoire de 10 feuillets — 20 pages — qui se termine ainsi : « *Voicy la situation où se trouvent les*

fut envoyé par le duc de Praslin le 25 avril 1768 à la Chambre de commerce de Marseille, accompagné d'un plan pour faire refleurir le commerce entre Alep et Bassora et pour ramener en partie le commerce de la Perse et de l'Inde vers l'ancienne route qui serait une route française. Mais à cette thèse la Chambre de commerce devait faire de sérieuses objections, prétendant que l'indépendance du pacha de Bagdad ne permettait d'assurer aucune sécurité, que l'installation d'établissements à Bagdad et à Bassora entraînerait la ruine des Echelles de Syrie réduites à n'être que des marchés locaux, enfin que ce commerce lointain nécessiterait de trop gros crédits.

Perdriau approuvé par Praslin, réfuta ces arguments. Il fut nommé consul à Alep et le chevalier de Saint-Priest, en partant pour l'ambassade de Constantinople, reçut mission de solliciter du gouvernement turc le rétablissement du consulat de Bassora, ce qu'il obtint au bout de quelques années.

Praslin était disgrâcié, mais l'exécution de son plan n'en était pas moins poursuivie. En 1773, Rousseau fut nommé consul à Bassora, et en 1782, donc après son voyage en France de 1780-81, il fut renvoyé à Bassora par le maréchal de Castries, avec un sieur Jeanffroys comme drogman et chancelier.

P. Masson rappelle aussi que Castries, nouveau ministre de la marine, était l'auteur de la formule : « *Le golfe Persique et la mer Rouge semblent être les deux bras que la nature étend pour unir les Indes à l'Europe* ». Il épousait donc les vues de Perdriau et de Rousseau sur l'importance pour le commerce français de Bassora et de Bagdad et il nous apparaît probable que le ministre dont le nom dans la lettre de Malesherbes est laissé en blanc (M. de...) et dont Malesherbes dit que les intérêts de Rousseau ne sauraient être remis en de meilleures mains, n'est autre que le maréchal de Castries.

Saint-Priest partageait les mêmes idées : ne se vante-t-il pas,

---

affaires des deux pirates, Chek Selman et Mir Mana, au présent jour, 31 *janvier* 1766. *J'auray soin de mettre à la suitte de ce mémoire tous les événemens qui arriveront désormais à leur sujet.* Fait à Bassora (signé) J.F. ROUSSEAU »).

Notons que, dans ce mémoire, J.-F.-X. Rousseau met en relief l'impuissance du pacha de Bagdad à triompher du pirate Kiab qui lui a fait subir des pertes sérieuses. « *Toute la ressource qu'a la cour de Bagdad, c'est d'attendre que les Anglais envoyent des forces de Bombay pour mettre à la raison ce pirate et reprendre les vaisseaux qu'il garde toujours à Gaban, malgré toutes les propositions avantageuses que le Pacha luy a fait faire pour les rendre.* »

dans le mémoire qu'il écrivit sur son ambassade, d'avoir fait agréer par la Porte la création du consulat de Bagdad qu'elle n'avait jamais voulu admettre auparavant ? Le poste fut confié en 1774 à l'évêque Miroudot.

⁂

Les recherches que MM. Charles Carrière et Ferréol Rebuffat ont bien voulu faire tout récemment, à notre intention, dans les archives de la Chambre de commerce de Marseille complètent heureusement ce que l'ouvrage de Paul Masson nous a appris sur les activités commerciales de Jean-François-Xavier Rousseau. M. Carrière nous signale que le négociant marseillais correspondant de Rousseau entre 1765 et 1770 était un certain Joseph-François Martin qui avait connu Rousseau en Orient puisque, le 12 août 1757, il avait installé à Alep (intermédiaire naturel pour le commerce de Bassora) une maison de commerce en commandite sous la raison sociale « *François-Joseph Martin et Cie* » (9).

De son côté, M. Rebuffat nous signale quelques documents d'un réel intérêt, en premier lieu quatre lettres de Jean-François-Xavier Rousseau, des 15 mars et 9 mai 1764, 1er mars 1765 et 28 janvier 1767 : dans ces lettres il était question d'un prêt d'argent fait en 1761 par Rousseau à Perdriau, consul de France et agent de la compagnie des Indes, plus haut nommé, prêt qui n'était pas encore remboursé trois ans après (10). Or Perdriau ayant enfin le 9 mars 1764 remis à Rousseau une lettre de change d'une valeur de plus de 4085 sequins vénitiens sur la compagnie des Indes à Paris, — ne connaissant personne en France, Rousseau adressa cette lettre de change à la Chambre de commerce de Marseille pour en obtenir le paiement : après de laborieuses tractations dans lesquelles Philibert

(9) Archives de la Chambre de commerce de Marseille, J. 120 (registres des cautionnements des maisons du Levant). — M. Carrière a retrouvé également aux Archives départementales des Bouches-du-Rhône l'acte notarié du 10 juin 1741 concernant le mariage de Joseph-François Martin avec la fille d'un important courtier royal, Etienne Escalon.

(10) Archives de la Chambre de commerce de Marseille, liasse H.81 « Commerce de Bassora sur le golfe Persique » (1745-1768).

Simian, député de Marseille au Bureau du Commerce de Paris, fut l'intermédiaire entre la Chambre de commerce et la Compagnie des Indes, Rousseau obtint pleine satisfaction et la Chambre de commerce lui rendit même le service de remettre la somme qui lui revenait à son correspondant J.-François Martin que Rousseau chargeait d'acheter pour son compte diverses marchandises à lui expédier à Bassora. Dans la dernière de ces quatre lettres Rousseau informe la Chambre de la réception de ces marchandises et la remercie chaleureusement pour le service qu'elle lui a rendu.

On voit donc qu'en 1766-67 il n'existe pas de démêlés, bien au contraire, entre Rousseau et les négociants marseillais.

Mentionnons au passage une autre démarche — d'aillleurs contemporaine de l'affaire ci-dessus — de Rousseau auprès de la Chambre de commerce de Marseille : une demande d'intervention (faite en mars 1766) auprès de la compagnie des Indes afin que lui soient attribués — avec le 1/10e de la somme remboursée par Perdriau pour intérêts et pertes sur le change, — les appointements de huit ans de services auprès de ladite Compagnie (2.000 livres par an), en qualité de drogman et chancelier du consulat de France à Bassora (11). Nous ne savons rien sur la suite qui fut donnée à cette affaire.

*
* *

Tous ces documents, ainsi que ceux sur lesquels s'appuie Paul Masson dans son livre, confirment nos conclusions précédentes en ce qui concerne la date de la lettre de Malesherbes, qui ne peut pas être 1766 : en 1766, Rousseau est à Bassora, comme le prouvent ses lettres et ses rapports ; à cette date aussi il n'a qu'à se louer des négociants de Marseille et de la Chambre de commerce de cette ville. Mais en 1780 les choses ont dû se gâter, car il semble bien qu'à partir de 1768 (date de l'envoi du rapport Perdriau à la Chambre de commerce par Praslin) les négociants marseillais aient manifesté une vive hostilité au projet qui consistait à favoriser les établissements

(11) Nous avons dit plus haut que le consulat de Bassora ne fut officiellement rétabli qu'en 1773.

de Bassora et de Bagdad et à faire passer par le golfe Persique une importante partie du commerce français en Asie. Quant à l'hostilité des Anglais, elle se comprend sans qu'il soit besoin d'insister car tout le projet en question visait à concurrencer le commerce britannique.

Mais, avouons-le, tout ceci ne nous apporte aucune explication satisfaisante sur la nature de ce terrible projet susceptible non seulement d'exciter contre Rousseau la haine des Anglais et des négociants marseillais, mais encore de faire de lui un *ennemi des Français* (car Malesherbes, en disant : « *...les Français dont il était devenu l'ennemi par ce projet* » présente le fait comme réel et non comme le fruit d'une imagination malade). Or voici qu'un document, de 1781 celui-là, donc contemporain de la lettre de Malesherbes et des événements qu'elle rapporte, document que M. Rebuffat vient de découvrir dans les Archives de la Chambre de commerce et qu'il a bien voulu nous signaler aussitôt, semble bien dissiper notre incertitude et nous apporter la clef de l'énigme.

Il s'agit du procès-verbal de la séance de la Chambre du 11 octobre 1781 (12) dans lequel il est fait mention du mémoire remis à la Chambre par les négociants de Marseille faisant le commerce des principales Echelles de Syrie, au sujet d'une compagnie qui devait se former pour faire le commerce de Bassora. Dans ce mémoire les négociants soulignent le préjudice grave que cette Compagnie porterait « *infailliblement* » au commerce qu'ils font en Syrie. La Chambre décide de transmettre le mémoire au Ministre avec ses observations.

A l'appui de ce procès-verbal figure la minute de la lettre écrite à ce sujet par la Chambre au Maréchal de Castries, ministre de la marine (13). En voici le texte :

17 *octobre* 1781

« Nous avons l'honneur de mettre sous vos yeux un mémoire qui a été remis à notre Chambre par les négociants de Syrie, n'ayant pas cru devoir nous refuser à la demande qu'ils

(12) B. 18, registre, F° 250 verso.

(13) Archives de la Chambre de Commerce de Marseille B. 61, F° 70 verso.

nous ont faite de vous faire parvenir leurs observations sur l'objet dont il est question.

Ces négociants paraissent douter du succès de la Compagnie qui se forme à Paris pour le commerce de Perse et craignent les suites qui peuvent en résulter pour leur commerce.

Nous ne pouvons mieux faire que de nous reporter à votre sagesse pour juger de l'égard que peuvent mériter leurs représentations.

Le point essentiel auquel nous nous attachons concerne le privilège exclusif qui pourrait être accordé à cette Compagnie. Il parait convenir, Monseigneur, de laisser une égale liberté à tous les agents de remplir leurs vues et d'exécuter leur projet dans tous les lieux où il est possible d'introduire le commerce ; et nous sommes bien persuadés que le Gouvernement ne donnera aucune permission capable d'arrêter les efforts et l'activité des négociants.

Nous sommes, etc... »

Sans doute le nom de Jean-François-Xavier Rousseau n'est pas mentionné dans cette lettre, non plus que dans le procès-verbal. Mais il est plus que probable qu'il avait une large part dans le projet de constitution de cette compagnie jugé si dangereux par les négociants de Marseille qui n'hésitèrent pas à en appeler au Ministre (14). Il est évident aussi que le voyage

(14) Les tractations entre la Chambre de commerce de Marseille et le Ministre se prolongèrent au delà de l'année 1781. On trouve aux *Archives Nationales*, K 907, pièces 32-33-34, plusieurs documents qui l'attestent, notamment la copie d'une lettre adressée « à M. le Maréchal de Castries par Mrs de la Chambre de commerce de Marseille » (26 novembre 1783) et un long mémoire qui accompagne cette lettre, « Mémoire sur le Commerce et la navigation des Français au Levant et en Barbarie, remis par la Chambre de commerce de Marseille à Mgr le Maréchal de Castries, ministre et secrétaire d'Etat ». (20 novembre 1783). Dans ce mémoire, les membres de la Chambre de commerce de Marseille font ressortir au Ministre l'importance des Echelles du Levant

du consul de Bassora en France était étroitement lié à cette entreprise. Certes il resterait encore à expliquer certains points de la lettre de Malesherbes : les terreurs de Jean-François-Xavier Rousseau avaient-elles un fondement ? Le consul de Bassora était-il vraiment menacé ? Quel rôle exact a joué Malesherbes qui paraît être hostile à l'entreprise de Rousseau, tout en traitant celui-ci avec les plus grands ménagements ? Quelles suites le Ministère donna-t-il à un projet qui soulevait d'aussi vives oppositions ? Même si nous ne poussons pas plus loin nos investigations, il reste que nous avons pu éclairer les circonstances et les motifs de cette lettre — qui nous a d'ailleurs entraîné fort loin — et faire connaissance avec ce curieux personnage que fut le cousin « *asiatique* » de Jean-Jacques, avec le rôle non méprisable qu'il joua dans des contrées lointaines, avec ce caractère porté vers l'angoisse et l'obsession, qui dut émouvoir fortement Malesherbes trois ans à peine après la mort du Promeneur solitaire dans le parc d'Ermenonville.

pour le commerce et la nécessité de garantir le commerce marseillais contre la concurrence étrangère autorisée par l'ordonnance du 3 mars 1781. Ils le supplient de faire cesser les dispositions de cette ordonnance. « L'ordonnance de 1781 a eu pour objet d'attirer à Marseille un plus grand commerce et de procurer par cette ville aux provinces étrangères une fourniture qui leur est faite par l'Italie ; mais cet objet ne saurait être rempli parce qu'on ne consommera pas plus au Levant de marchandises que celles qui y ont été uniquement apportées jusqu'en 1781 par les seuls sujets du Roi et Marseille ne fournira pas plus de marchandises du Levant aux provinces étrangères que ce qu'elle a fait jusqu'à présent. L'Allemagne sera toujours pourvue par l'Italie : c'est la voie la plus naturelle et la moins dispendieuse, etc... ».

CHAPITRE SEPTIÈME

Charles Bonnet et Duhamel du Monceau

LETTRE A M. BONNET,

A Genthod, près de Genève

C'est ici la minute autographe d'une lettre à Charles Bonnet, le savant et philosophe genevois avec lequel Malesherbes entretint des relations qui, ayant à leur origine une réclamation de Bonnet à propos de l'entrée en France d'un de ses ouvrages, se transformèrent bientôt en une solide et profonde amitié. Malesherbes séjourna à Genthod chez les Bonnet au cours de son voyage en Suisse en 1778. Il est question ici des derniers moments et de la mort de Duhamel du Monceau, le grand naturaliste ami de Malesherbes et que Bonnet connaissait et honorait aussi. La lettre elle-même, copiée de la main du secrétaire de Malesherbes, avec seulement la signature autographe, figure à la Bibliothèque de Genève (Mss. Bonnet 36, f° 90) elle est datée du 2 *novembre* 1782. Nous l'avons reproduite dans *Malesherbes témoin et interprète de son temps,* m. 544-45.

Le texte de Genève et le texte de la minute autographe sont — sauf, bien entendu, les différences d'orthographe, — rigoureusement semblables.

A M. Bonnet, à Genthod, près de Genève. [1782].

(*suscription de la main de Malesherbes*).

Je ne croyois pas, Monsieur, que vous eussiés appris si tard la perte que nous avons faite de M. Duhamel le plus respectable des hommes.

Vous connoissés mieux que moy sa valeur comme homme de lettres, comme physicien, comme naturaliste.

Quant à ses qualités morales je ne peux mieux vous le peindre qu'en vous disant qu'en vous voyant à Genthod, et ensuite quand j'ay passé aux environs et que suivant ma methode ordinaire je causois avec les gens de la campagne et qu'ils me parloient du maitre de la maison voisine, je me voyois aux environs du chateau de Denainvillier, habité par M. Duhamel et par son frere qui est mort deux ans avant luy, qui estoit moins connu dans le public, mais qui n'estoit pas moins estimable.

Vous me demandés les circonstances de sa fin et si sa mort a été douce.

Je ne l'ay pas vu dans ses derniers momens, il est mort à Paris ou je n'estois pas. Mais je ne crois pas qu'il ait beaucoup souffert, car M. de Fougeroux son neveu me mandoit qu'il n'avoit presque point connaissance. Il y a plus d'un an qu'il avoit eu une attaque d'apoplexie qui lui annonçoit celle à laquelle il a succombé. Depuis cette attaque il n'estoit pas heureux parce qu'elle avoit tellement affaibli sa vue qu'il ne pouvoit plus travailler et M. Duhamel ne connoissoit aucun plaisir ny meme aucune distraction. Le travail lui manquant il s'est trouvé dans un désœuvrement cruel.

Il se faisoit lire, mais la lecture luy estoit insipide quand il n'y trouvoit pas de vues utiles au public qu'il fut en état de suivre. Sa pieté à eté dans ce tems la son unique ressource, et c'en est une bien grande.

Il a recommandé par son testament à M. de Fougeroux son principal héritier, son neveu et son confrère à l'Academie des Sciences de continuer les ouvrages qu'il a commencés, et M. de Fougeroux remplira avec zele les intentions de son oncle.

Il laisse encore trois autres neveux frères cadets de M. de Fougeroux, dont un est capitaine de vaisseau, un officier du corps du genie et tous les deux elevés par leur oncle, par M. Bouguer et par M. Camus. Le quatrième est dans la magistrature qui estoit l'ètat de leur famille paternelle. Tous ces frères sont chacun dans leur partie des gens de beaucoup de merite, et de plus de bien honnestes gens. Il n'y a point de famille dans laquelle un homme comme M. Duhamel dut plus esperer de se voir revivre que celle-la.

Vous connoissés, Monsieur, le sincere attachement avec lequel j'ay l'honneur d'estre votre tres humble et tres obeissant serviteur.

MALESHERBES.

CHAPITRE HUITIÈME

Education Publique

LETTRE AU BARON DE BRETEUIL

(juin ? 1787)

« *Pour vous seul* ».

Cette lettre confidentielle, adressée au baron de Breteuil, alors ministre de la Maison du Roi, ne peut être entièrement comprise du lecteur que si celui-ci se reporte au chapitre IV de la seconde partie de notre ouvrage (*Malesherbes, témoin et interprète de son temps* pp. 449 et suiv., chapitre intitulé *Les idées de Malesherbes sur l'Education*). Nous y parlons de l'intention du Parlement de s'occuper de la « *réformation des études du royaume* » et de faire de l'instruction publique une sorte de *service national;* nous y analysons les idées du président Rolland qui reflétaient celles de la plupart des parlementaires ; nous montrons, à l'opposé, la conception de Malesherbes, hostile au monopole de l'Université, partisan du libéralisme, attaché à tout ce qui peut favoriser les initiatives privées.

Malesherbes avait exposé ses idées dans deux lettres et un mémoire, datés de 1780 et de 1783, en réponse aux sollicitations répétées de son cousin le Président de Lamoignon, premier président au Parlement de Paris. Il semble que les projets de Malesherbes en matière d'éducation soient restés lettre morte à l'époque. Mais cette lettre au baron de Breteuil nous apprend que quatre ans plus tard, en 1787, Louis XVI souhaita connaître la pensée de Malesherbes sur cet important problème. Le roi avait appris, sans doute par une indiscrétion, que son ancien ministre de 1775-76 avait rédigé un travail sur l'éducation publique. Il s'agit évidemment du mémoire qui avait été adressé au Président de Lamoignon.

Malesherbes hésite à l'avouer (1) ; il écrit au Roi une « lettre ostensible » disant qu'il s'agissait de brouillons qu'il a brûlés. Mais à Breteuil il dit ici la vérité : il a effectivement écrit sur l'éducation « *depuis sa sortie du ministère* » et il explique à quelle occasion (pour répondre aux prétentions du Parlement) il a entrepris cette étude.

Quand il dit qu'il l'a fait à la demande instante d'*un de ses amis*, il faut entendre son cousin Lamoignon qu'il ne veut pas nommer pour ne point le mettre dans une position délicate, Lamoignon étant lui-même parlementaire et Malesherbes se déclarant adversaire de la conception du Parlement.

Les idées exprimées ici confirment celles que nous avons vues développées dans les lettres et mémoire de 1780 et 1783 : favoriser les initiatives privées, laisser la plus large autonomie en matière d'éducation aux provinces et aux villes, repousser l'unification, proposer au contraire aux « *citoyens* » une féconde variété de types d'enseignement et d'éducation : en somme pratiquer une politique de liberté et de diversité et demander seulement à l'autorité gouvernementale de veiller à ce que les bonnes mœurs soient partout respectées.

Avant d'exposer au Roi ses idées, Malesherbes souhaiterait connaître les intentions précises du souverain. Si le Roi était prévenu en faveur d'un des projets que Malesherbes juge néfastes, celui-ci n'hésiterait pas à combattre ce projet à visage découvert, même s'il est dans l'obligation de prendre le contrepied des idées du Garde des Sceaux (Miromesnil). Rappelons que les relations de Malesherbes avec Miromesnil étaient à cette époque assez froides, et que le Garde des Sceaux se montra très réticent à l'égard des projets de Malesherbes sur l'état-civil des protestants (Cf. *Malesherbes témoin et interprète...* p. 565).

N.B. — La date inscrite en haut de la première page du manuscrit nous paraît très inexacte. En effet en juin 1787, Malesherbes est déjà entré pour la seconde fois dans le Ministère, ce qui ne

(1) Pour diverses raisons, notamment la trop grande liberté avec laquelle il s'exprimait sur certaines personnes.

semble pas ressortir de cette lettre ; mais surtout, en juin 1787, Miromesnil a été remplacé depuis quelques semaines par le président de Lamoignon lui-même (2). Si donc la date de 1787 paraît devoir être maintenue, il est probable que ce texte est antérieur au mois de juin.

A M. le Baron de Breteuil. [Juin 1787].

(*Pour vous seul.*)

J'ay pensé, mon cher cousin, qu'ayant à rendre compte au roi de ma reponse, il falloit en faire une ostensible.

Voicy a present ce que j'ay à vous dire pour vous seul. Je ne peux pas avoir dit au roi que j'avois un travail par ecrit sur l'éducation publique, car je n'avois rien ecrit sur cette matiere quand j'etois au conseil.

J'en avois souvent parlé à mes amis et discuté la matiere en conversation, il y en aura quelqu'un qui aura dit au roi lui meme ou peut etre à M. de Maurepas qui l'aura dit au roi que j'avois travaillé sur cette matiere. Le roi m'en aura parlé. Je ne me souviens plus, je ne peux pas me rappeller non plus ce que je lui ai repondu. Il y à apparence que j'aurai discuté la matiere avec la chaleur que je mets volontiers dans la conversation. J'aurai dit que j'aurois en cas de besoin bien des choses à luy dire sur cet objet et je me serai expliqué de façon que le roi aura compris que j'avois un travail tout fait. Cependant je n'avois rien d'ecrit. Au reste pour ne pas contredire le roi, j'ai mieux aimé dire dans ma lettre ostensible que je n'avois que des brouillons que j'ai brulés.

---

(2) Le remplacement eut lieu au cours de la semaine sainte.

Je ne vous dissimulerai pas que j'ay ecrit depuis ma sortie du ministere et je vais vous dire à quelle occasion.

Quelques magistrats du parlement ont pensé que les jésuites étant detruits par eux, c'estoit à eux à les faire remplacer et du tems du feu roi on leur a donné l'espoir en quoy je crois qu'on à fait une faute quant à l'objet de l'instruction publique.

Mais on estoit fort peu occupé de cet objet, on ne songeoit qu'à bien *executer* (1) le renvoi des jésuites et dans cette vue on chargeoit du soin du remplacement ceux qui etoient le plus zelés pour empecher la société de ressusciter.

Mais qu'est-il arrivé ? c'est qu'aujourd'hui, il y a des magistrats du parlement qui se croyent chargés de diriger à perpetuité les études de toute la nation, de prescrire ce qu'on enseignera dans tous les colleges du ressort du parlement de Paris et la methode de cet enseignement et meme de choisir à Paris et d'envoyer dans les provinces les maitres à qui on confiera l'education de la jeunesse.

Je vous avoue que je ne pourrois etre sur cela de son avis. Un de mes amis qui m'en avoit entendu parler et qui scut qu'il estoit question de *discuter* au parlement les projets du parlement m'ecrivit à la campagne *de Paris* et me demanda avec instance de luy envoyer promptement mes reflexions.

Il etoit pressé car on croyoit que le parlement alloit prendre un parti. Je fis quelques *recherches.* J'ecrivis à la hate mes reflexions de ma main et sans me donner meme la peine de les relire ; et je lui envoyai tout ce griffonage dont je ne gardai pas de minute.

Voila tout ce que j'ay ecrit sur cette *matiere,* vous sentés

(1) Les mots que nous imprimons en italique sont douteux : l'écriture de cette lettre est en effet difficilement déchiffrable.

bien que ce n'est pas un travail qui puisse etre montré 1° parce qu'il n'est pas redigé, 2° parce que je parlois à mon ami sur bien des personnes avec une liberté que je ne pourrois pas me permettre dans un memoire fait pour etre lu par d'autres.

Si le roi veut que je travaille sur la *matiere*, il faudra que je redemande ces *materiaux* à celui à qui je les envoye (2) pour n'avoir pas à recommencer les recherches que je fis dans ce tems la.

Mais l'objet de ce memoire n'etant que de discuter les idées du President Roland, si par hasard le roi est deja convaincu que ce systeme ne vaut rien, tout ce que j'avois ecrit alors lui est inutile.

Je vous demande aussi dans ma lettre ostensible si vous croyés que le roi ait adopté le plan d'une education uniforme dans son royaume. Je vous ay fait cette question parce que ce plan à été proposé dans plusieurs *cours* (3), et je crois que ce sera *celuy* de la plupart des *faiseurs* de projets qui ont assés de confiance dans leurs propres lumieres pour vouloir y soumettre la nation entiere et dont l'ambition seroit flattée de se voir à la teste de l'education de tout le royaume.

Je vous avoue que je crois les plans de ce genre tout aussi mauvais que ceux du P(resident) Roland et si le roi etoit prevenu en faveur d'un de ces projets et qu'il m'ordonnat de lui en donner mon avis, mon devoir seroit de lui en représenter les inconveniens, mais pour combatre un projet il faut le connoître.

---

(2) Il a sans doute voulu écrire : *envoyai*.

(3) Notamment en Russie. Cf. le *Plan d'une université pour le gouvernement de Russie*, ouvrage écrit par Diderot à la demande de Catherine II.

Mais si le roi ne veut que favoriser les efforts de ceux de ses sujets qui veulent entreprendre l'education de la jeunesse, *laisser* aux provinces et aux villes dans lesquels (*sic*) il ne peut y avoir qu'un seul college, le droit normal qu'elles ont de pourvoir à l'éducation des enfants, permettre dans les plus grandes villes l'établissement de differentes maisons d'education ou les objets et la methode d'enseignement seront différents et entre lesquelles les citoyens puissent choisir, n'user de son autorité et n'establir de regles communes que pour veiller à ce que toutes les educations soient conformes aux bonnes mœurs et qu'on n'enseigne jamais surtout en matière de religion qu'une saine doctrine, et cependant employer sa puissance et ses bienfaits pour faciliter les etablissemens qui lui paroissent utiles, j'aurai sur cela *d'autres* reflexions à lui présenter.

Je crois, mon cher cousin, que d'apres cette explication, vous ne trouverés plus singulier qu'avant d'entreprendre le travail que le roi m'ordonne, je me doive d'être instruit de ses dispositions sur les points principaux.

Je vais a present vous confier un scrupule que je suis sûr que vous ne desapprouverés pas.

Je viens de parler des projets du Président Roland et de l'influence que le Parlement s'est *attribuée* sur l'education publique depuis quelque tems. Je regarde les actes d'autorité qu'il a *faits* sur cela, sans que le gouvernement ait paru les desapprouver, comme un grand obstacle à tout ce qu'on peut faire de bon. Je ne peux m'expliquer sur cela sans desapprouver la conduite de ceux qui ne s'y sont pas opposés et cette critique tombe malheureusement sur M. le Garde des Sceaux d'autant plus que M. le Président Roland qui à été le principal *acteur* passe pour etre de ses amis.

Je ne me ferai nulle difficulté de combattre l'avis de qui [que] ce soit quand le roi me demandera le mien, mais je voudrois que ce fut à decouvert, je repugne beaucoup au role d'auteur de memoires clandestins, ainsi dans le cas où je serois obligé de critiquer la conduite des gens en place, je voudrois que le roi me permit de communiquer mes memoires à ceux dont je contredirois les sentimens.

La permission que je demanderois sur cela au roi pour ma satisfaction personnelle est aussi conforme au bien de son service.

Si mes vues estoient dignes de son approbation, mais qu'elles fussent presentées dans une forme *faite* pour deplaire à ceux qui par leur place doivent etre chargés de l'execution, tout iroit fort mal.

Si *autour* de cela le roi m'autorisoit à discuter la matiere avec eux je suis fort porté à croire qu'à quelques egards ils me rameneroient à leur avis et peut etre à d'autres je les ramenerois au mien.

J'ay beaucoup connu autrefois M. le garde des Sceaux. Je ne suis point son ami, mais je ne suis point son ennemi non plus et je tache de ne l'etre de personne. Ce n'est point un homme... (4). Comme je ne veux la place de personne, il me semble que je ne dois faire d'ombrage à personne.

Il lui paroît... (5) que pendant neuf ans d'oisiveté j'aye pu combiner des idées qu'il n'a pas pu *suivre* au milieu du tourbillon des affaires. Il en sera de cela comme de mes recherches sur les protestans que je n'aurois pas eu le tems de faire si j'estois resté dans le Conseil.

---

(4) Ici un mot indéchiffrable : on pourrait lire : *entêté.*

(5) Deux ou trois mots illisibles.

(*Ici plusieurs lignes biffées*) (6).

Et je suis très persuadé que si mes idées soit sur le mariage des protestans soit sur l'education publique etoient goutées par le roi et qu'il me permit d'en converser avec M. le garde des Sceaux, nous nous arrangerions de façon qu'il n'y auroit de sa part aucune representation.

---

(6) Après les mots : « Si j'étois resté dans le Conseil » :

Voici les lignes biffées :

« Il me *paroit* (*) tout simple aussi que beaucoup de circonstances l'ayent empeché de s'opposer à ce qu'a fait sur cela le Parlement.

« Ainsi dans le cas où je serois assés heureux pour que les principes que je crois les meilleurs... »

« Ainsi dans le cas où je serois assés heureux pour que mes vues fussent approuvées du roi, je suis tres persuadé, quand elles lui seront presentées, je... »

(*) Mot douteux.

CHAPITRE NEUVIÈME

Etienne de Montgolfier et Malesherbes

ETIENNE DE MONTGOLFIER
ET MALESHERBES

Nous avons signalé (*Malesherbes,* pages 684 et 758) les relations que Malesherbes a entretenues avec les frères Montgolfier, originaires d'Annonay comme Boissy d'Anglas, et notamment avec Etienne, frère cadet de Joseph. Les quatre lettres que nous publions ici (la dernière est adressée à Necker) nous donnent la mesure de l'intérêt que Malesherbes portait aux deux illustres pionniers de la navigation aérienne, et particulièrement à Etienne de Montgolfier, à ses expériences, à ses travaux, à sa situation personnelle.

1) La lettre du 28 novembre 1785 (dont nous avons à la fois la minute autographe et une copie de la main du secrétaire de Malesherbes, Baufre), est sans doute adressée à Etienne, bien que Malesherbes ait seulement écrit en haut de la page à gauche : « *A M. de Montgolfier* ». Après avoir rappelé l'anoblissement accordé à M. Montgolfier père et en regrettant que cet anoblissement n'ait pas comporté une clause exceptionnelle due au mérite, Malesherbes s'efforce de démontrer à son correspondant que sa requête concernant l'admission de ses neveux dans une école militaire, à Tournon ou près de Paris, ou dans un prétendu régiment d'enfants, se heurte à de sérieuses difficultés que seule l'intervention du roi ou de la reine pourrait surmonter. Il donne à Montgolfier quelques conseils utiles pour l'aider à se concilier la faveur des souverains, mais lui Malesherbes, est dans l'impossibilité de lui procurer cette faveur, car « *depuis neuf ans il n'approche point de leurs personnes* » (1).

(1) Depuis la fin du printemps de 1776, date de sa retraite du Ministère.

2) Bien qu'elle ne porte d'autre date que celle de « 1787 », nous supposons que la seconde de ces quatre lettres est une réponse à la lettre d'Etienne de Montgolfier du 9 juin 1787 (*Archives de Tocqueville,* L 133) que nous avons signalée dans notre ouvrage et dans laquelle Montgolfier demandait à Malesherbes de l'aider à obtenir des crédits pour poursuivre ses expériences.

Malesherbes (qui vient d'entrer dans le Conseil) fait allusion aux économies qu'impose actuellement la situation financière du royaume, mais il n'en laisse pas moins espérer à Montgolfier un sort privilégié ; il a parlé de lui à deux reprises à Loménie de Brienne (l'archevêque de Toulouse), alors principal ministre.

3) Un an plus tard (26 septembre 1788), c'est à Necker, alors revenu au pouvoir, pourvu du titre de directeur général des finances, avec entrée au Conseil, que Malesherbes, qui vient de sortir du Ministère, recommande Montgolfier dont il transmet le requête à Necker. On appréciera le ton chaleureux de cette lettre (2), qui nous intéresse aussi parce qu'elle nous renseigne sur le début des relations entre Necker et Malesherbes et sur cette nomination de Malesherbes comme commissaire du Roi aux Etats généraux (sur la recommandation de Necker) nomination à laquelle, à notre connaissance, aucun historien n'a fait allusion.

4) Quant à la note autographe (de cette écriture malaisément déchiffrable qui était celle de Malesherbes à cette époque), elle concerne une requête d'Etienne de Montgolfier tendant à obtenir le grenier à sel d'Annonay qui lui a été promis. On voit que Malesherbes entre dans les détails de l'affaire et s'ingénie à trouver une solution administrative qui donne satisfaction à son protégé (3).

---

(2) Qui est une copie faite postérieurement.

(3) Pour les relations entre Malesherbes et Etienne de Montgolfier, on se reportera avec profit à la *Notice sur M. Etienne Montgolfier* par Boissy d'Anglas, extraite des *Etudes littéraires et politiques d'un vieillard.* Boissy d'Anglas dit notamment :

« Etienne Montgolfier trouva dans sa célébrité l'avantage de faire apprécier par les hommes les plus honorables et les plus illustres de la fin du siècle dernier ses qualités personnelles et d'en être chéri et honoré. C'était un grand titre de recommandation auprès de M. de Malesherbes que d'en être aimé. « *Vous êtes l'ami de M. de Montgolfier dont j'honore encore plus les vertus que le génie* », écrivait-il à l'auteur de cette notice, et il croyait d'après cela lui devoir de la bienveillance ». Boissy d'Anglas cite également le Duc de La Rochefoucauld, la Duchesse d'Enville sa mère, Bailly et Lavoisier.

Paris le 28 novembre 1785.

A M. de Montgolfier.

(*De la main de Malesherbes*) (*La date ne figure que sur la copie*)

Il m'est bien douloureux, Monsieur, de n'avoir que des objections à vous faire la seule fois où vous m'avés montré du desir d'obtenir quelqu'une des faveurs que l'univers entier voudroit qu'on accordât à une famille telle que la votre.

Vous pouvés vous souvenir que lorsqu'on donna à M. votre Père des lettres de noblesse, je vous dis que je trouvois que c'etoit une bien mediocre grace, non qu'en soy-meme ce n'en dut etre une grande de faire passer une famille d'un ordre de citoyens à l'ordre le plus elevé. Cette grace seroit la plus flatteuse de toutes si elle n'avoit pas eté prostituée comme elle l'est. Mais depuis qu'on l'accorde tous les jours aux gens qui y ont le moins de titres, et que même, sans comission du Roi, la Noblesse s'acquiert à prix d'argent par des charges venales, je pense que ce n'est plus une recompense digne des hommes qui se sont illustrés par leur merite.

J'aurois donc desiré que le Roi joignit à votre anoblissement une clause portant que Mrs de Montgolfier seroient admis dès à present aux avantages dont on ne laisse jouir que ceux qui ont plusieurs generations de Noblesse.

On peut dire que cela eut eté contraire à l'ordre commun et que cet exemple pourroit tirer à conséquence.

C'est precisément parceque cette clause seroit contraire à l'ordre commun qu'elle deviendroit une distinction flatteuse, et digne de ceux dans qui on veut honorer un merite non commun.

Si elle tire à conséquence, il s'ensuivroit peut être que dans la suite elle etabliroit une difference entre ceux qui ont eté anoblis pour cause de merite, et ceux qui ne l'ont été que par acquisition de charges, et dans ma façon de penser, ce seroit un grand avantage que cette distinction existat, pourvu qu'ensuite ce ne fut qu'à un merite reel qu'on accordat l'annoblissement datif.

Excuses, Monsieur, la longueur et l'inutilité de cette dissertation. Je ne m'y suis livré que pour vous marquer combien je desirerois dans le fond de mon ame que ce que vous desirez put réussir.

Revenons à votre affaire.

Vous voudriés que vos neveux fussent placés à l'Ecole militaire, à celle de Tournon, ou dans un régiment d'enfans qu'on vous a dit que la Reine fait élever pour M. le Dauphin. Quand j'ai reçu votre lettre, j'etois à la campagne, il a fallu prendre des informations à Paris pour y repondre.

Je ne scais pas ce que c'est que le regiment d'enfans dont on vous a parlé. Personne n'a pu me le dire à Paris. Je l'ai demandé même à M. le M[al] de Castries que j'ai eu occasion de voir, quoique je ne voye presque jamais les ministres. Il m'a dit qu'il n'en a pas entendu parler, ainsi je crois qu'on vous a donné sur cela de fausses notions.

Je ne sais pas non plus quel est le régime de l'ecole militaire de Tournon, ni de qui dependent les nominations. Vous êtes plus à portée que moi de le savoir, puisque c'est dans votre province.

Quant à l'ecole militaire etablie dans la banlieue de Paris, on y exige des preuves de plusieurs degrés de noblesse, et on y reçoit par préference, les enfans dont les pères ont servi à la guerre, et je crois que la nomination depend du ministre de la guerre.

Il faudroit donc que ce fut ce ministre qui fit cette exception en votre faveur ; et je vous previens que d'après ce qu'on connoit des principes rigoureux de M. le Maréchal de Ségur, je doute qu'il la fasse.

Je vous dirai plus, je ne crois pas qu'il la doive faire. Nous vivons dans un tems ou les ministres ne doivent pour aucune consideration admettre d'exceptions aux regles générales, par la crainte qu'un exemple de condescendance ne leur fasse forcer la main pour multiplier les exceptions à tel point que la loi tombe en desuetude.

Je pense qu'une exception en faveur du nom de Montgolfier ne tirera pas à consequence, mais il faudroit qu'elle vint du propre mouvement du Roi ou de la Reine.

Or personne n'est moins propre que moi à leur inspirer cet heureux sentiment, puisque depuis neuf ans je n'approche point de leurs personnes.

Mais parmi le grand nombre de gens de la cour, qui ont cherché à vous connoitre et à se faire connoitre de vous pendant votre sejour à Paris et dont vous ecartiés les hommages avec cette modestie qui vous caractérise si bien, ou parmi ceux que M. votre frere a connus à Lyon, ne s'en trouveroit-il pas quelqu'un avec qui vous eussiés conservé quelque relation ? Il suffiroit peut etre qu'un homme admis dans la societé où le Roi et la Reine permettent qu'on cause familierement en leur presence, leur apprit qu'un Mr de Montgolfier a eprouvé un grand revers dans sa fortune par un incendie, qu'il a des fils qu'il destinoit à profiter de la grace que le Roi vient de leur accorder en entrant dans le service militaire, et que le malheur qui lui est arrivé ne lui permet pas de leur donner l'education propre à cette profession. On en seroit touché, on diroit qu'un nom dont la gloire rejaillit sur toute la Nation vaut peut etre bien ceux qui se sont illustrés par deux siècles de Noblesse ; et si le Roi applaudissoit à cette façon de penser, votre affaire seroit faite. Voila tout ce que mon zele pour vous me fait imaginer.

Je vous prie de ne pas douter du tendre attachement avec lequel j'ai l'honneur d'être, Monsieur, Votre très humble et très obeissant Serviteur.

(*Sur la copie seulement Malesherbes a ajouté, de sa main, le post-scriptum suivant :*)

P.S. — Depuis que ma lettre est écrite, des personnes a qui j'ay encore parlé de ce regiment d'enfans elevés par la reine m'ont dit qu'il en a eté question dans les papiers publics, mais qu'ils n'en ont pas entendu parler ailleurs. Je m'en informerai plus exactement et s'il y à quelque chose de reel, je vous le manderai.

***

[1787]

M. Etienne de Montgolfier à Annonay.

(*suscription de la main de Malesherbes*)

Vous devés à présent, Monsieur, avoir à Annonay votre ami M. Boissi d'Anglas qui vous aura dit ou en est votre affaire. Vous scavés les difficultés qu'eprouvent a present toutes celles qui dependent de la finance mais ce qui vous regarde est toujours privilégié et rien ne doit empecher de faciliter et de recompenser des mérites tels que les votres.

Mais M. de Boissy d'Anglas à du vous dire que dans les deux conversations que j'ay eues avec M. l'archeveque de Toulouse, il m'a parlé toutes les deux fois de ses sentimens personnels pour vous et de l'interest qu'il prend à vos succes, et d'un voyage meme qu'il a fait à Annonay, et j'ay cru qu'il seroit plus flatté que vous vous adressassiés à luy directement que de faire *porter* votre correspondance par un tiers.

D'ailleurs je garde les memoires que vous m'avés confiés pour en faire usage quand il le faudra et je n'oublierai pas que vous craignés avec grande raison qu'on ne les communique à des physiciens qui pourroient en abuser, encore que si M. l'archeveque veut en consulter quelqu'un, M. Desmarets est le seul à qui vous consentiés que ces memoires soient communiqués.

Vous connoissez, Monsieur, l'attachement inviolable avec lequel j'ay l'honneur d'etre...

∴

9 aoust (1) [1788]

Note (2) donnée par M. de Malesherbes à M. le Contrôleur sur l'etat de l'affaire depuis qu'il à eu connoissance du memoire pour M. de Montgolfier.

(*Apostille de la main de Malesherbes*).

A M. Necker.

Les faits rapportés dans le memoire par M. de Montgolfier sont exacts. Cependant il est vrai que quand la promesse fut faite à M. de Montgolfier l'administration objecta que l'entre-

(1) Nous ne savons s'il faut lire *aoust* ou *avril*.

(2) Autographe.

post d'Annonay etoit une des places reservées pour la retraite des anciens employés.

L'interest que le ministre et le public prenoient à M. de Montgolfier fit trouver un *remède.* (3)

Il fut pris une deliberation revetue de la sanction du ministre par laquelle on doit mettre une autre place de la valeur convenable dans la liste des places données aux retraités et en retrancher celle d'Annonay.

Je prends note (4) qu'on revoque en doute aujourd'huy que cette deliberation ait eté *juste* et autorisée par le gouvernement, mais si M. de Colonia est consulté, je crois qu'il le certifiera.

Mais voicy ce qui est arrivé.

Quand on a scu la vacance du grenier à sel de *Beauchastel* (5) M. Tardy *pourvu* de celui d'Annonay l'a demandé, et M. de Montgolfier a demandé pareillement celui d'Annonay.

Ils ont appris que M. Taillepied avoit fait donner à un autre celui de Beauchastel.

Il est evident que cela frustre pour toujours M. de Montgolfier de la *grace* qui lui a eté promise, dans le moment ou le gouvernement croyoit devoir luy en accorder une, ou toute la France pensoit qu'elle lui estoit due et ou sans doute on trouve heureux qu'il demandat une grace qui ne *constituoit* pas le gouvernement *en depense.*

M. de Montgolfier qui a ses etablissements à Annonay ne peut pas occuper un emploi ailleurs, et M. Tardi ne quittera Annonay qui est voisin de son pays que pour *Beauchastel* qui est aussi dans son pays et qui est d'un revenu plus considerable.

---

(3) Les mots imprimés en italique sont douteux.

(4) On peut lire aussi *acte.*

(5) Ou *Beauchestel.*

Il semble que le seul moyen par lequel le gouvernement puisse tenir la promesse faite par le ministere et conserver en même tems l'ordre etabli dans l'administration, seroit d'assurer à celui à qui M. Taillepied s'interesse la premiere place de valeur égale ou même supérieure qui viendra à vaquer ; alors la place de Beauchastel se trouveroit dans le nombre des places de retraités dont M. Tardy est susceptible, on la lui donneroit et M. de Montgolfier obtiendroit celle d'Annonay.

***

Copie d'une lettre écrite par M. de Malesherbes à M. Etienne de Montgolfier le 26 *septembre* 1788.

J'ai, cru, Monsieur, ne pouvoir faire de meilleur usage de votre lettre que de la remettre à M. Necker et de lui dire que je le prie de la regarder comme lui étant adressée, ainsi il vous fera réponse lui-même ; vous n'êtes pas un homme pour les affaires de qui personne doive etre intercesseur. C'est le Roi, c'est l'Etat qui doit s'interesser à vos travaux, et par conséquent l'administrateur des finances de l'Etat qui doit etre en relation avec vous. Je connaissais très bien M. Necker ; je suis actuellement en relation avec lui puisque le Roi m'a nommé son Commissaire aux prochains Etats Généraux, et je crois que M. Necker a eu quelque part à ce choix.

Sans le connaitre je suis sur qu'un homme d'autant d'esprit que lui et ayant autant d'élévation dans sa façon de penser se ferait un devoir de faciliter des travaux tels que les vôtres, et grand honneur de vous donner des témoignages de son estime et de son amitié.

C'est le sentiment qu'il m'a laissé voir dans le moment que je lui ai prononcé votre nom, et je m'y attendais bien. Il m'a dit qu'il vous ferait réponse comme si la lettre lui était adressée à lui-même.

Vous connaissez...

P.S. J'ai fait confidence à M. Necker des espérances que vous avez de rendre incessament votre grande découverte aussi utile qu'elle est brillante ; et je lui ai dit aussi les raisons que vous avez de ne pas vouloir publier ces espérances.

Si les circonstances étaient moins malheureuses, je ne doute pas que vous n'obtinssiez de ce Ministre tous les secours que vous pourriez désirer, et je crois qu'il fera au moins tout ce qui lui sera possible.

CHAPITRE DIXIÈME

Un point de droit

SUR LES CASSATIONS

C'était un des privilèges du Conseil d'Etat de pouvoir casser les arrêts du Parlement ou d'une autre cour souveraine. Dans cette page rédigée à l'occasion d'une affaire que nous ignorons, Malesherbes formule quelques principes sur cette question de droit. La cassation par arrêt du Conseil lui paraît nécessaire dans un seul cas, celui où le motif est l'incompétence.

Rappelons que dans la lutte que la Cour des Aides soutint contre le pouvoir, il arriva que ses arrêts fussent cassés par le Conseil. (Cf. notamment notre ouvrage *Malesherbes témoin et interprète...* p. 245). Sur les cassations et les évocations, cf. *ibidem*, p. 233. (M. Le Moine, à la compétence de qui Malesherbes a recours, était un conseiller à la Cour des Aides).

La lettre cy jointe de M. de Lévy (1) *est confidentielle et ne doit pas rester dans les bureaux.*

Il faudra que la reponse y soit faite de ma main.

(*Je demande l'avis de M. Le Moine sur les principes d'après lesquels je crois devoir rediger ma lettre*).

PRINCIPES.

1) Il y à un cas ou la cassation par arrest de Conseil est necessaire, c'est celuy ou le motif est l'incompetence. Il y auroit autant de puissances independantes dans le royaume qu'il y à de cours si à cet egard le roy n'exercoit en son conseil une autorité superieure et telle est l'espece dans laquelle est intervenu l'arrest du conseil. On a vu des loix reconnues par le parlement de Bourgogne qui luy interdisoient la connoissance du genre d'affaires qui lui estoit portée.

2) Il n'est pas nécessaire d'examiner le fond quand le moyen par lequel l'arrest d'un parlement est attaqué est un motif d'incompetence.

3) Quand l'affaire excite de grands troubles dans une ville comme celle cy dans la ville de Beaune, il est important de rendre l'arrest sans delai, et consulter auparavant les

---

(1) Jean Baptiste Michel de Lévy, un des présidents de la Cour des Aides. Il figure dans l'*Almanach royal* jusqu'en 1769.

magistrats du parlement de Dijon, c'eust été attiser le feu dans cette ville. Le delai n'estoit pas necessaire d'après la seconde de ces reflexions, il eust été prejudiciable d'après la troisième.

Je ne vous dissimule cependant pas qu'il auroit mieux valu qu'un arrest rendu pour cause d'incompetence l'eust eté plus tost et qu'on n'eust pas laissé l'affaire s'instruire jusqu'à la fin au parlement de Dijon. La raison de ce retardement à eté que le conseil n'a pas eté instruit plus tost de l'affaire, et si on a differé de l'en instruire c'est qu'on esperoit que le parlement sur *l'inspection* (1) des edits qui le declaroient incompetent renvoyeroit de luy même les parties à se pourvoir ce qu'on auroit mieux *aimé* (1) que d'estre obligé à en venir à un arrest de cassation.

---

(1) Mot douteux.

CHAPITRE ONZIÈME

Un autre visage de Malesherbes l'Arboriculteur

LETTRE AU MARQUIS TURGOT

Nous avons signalé dans notre ouvrage (deuxième partie, chapitre 5, *le Naturaliste,* p. 472) la correspondance, uniquement consacrée à l'arboriculture, qu'échangea Malesherbes avec le marquis Etienne-François Turgot, principalement dans les années 1780 et 81. Le marquis Turgot (1721-1789) frère du grand ministre, officier, puis gouverneur malchanceux de la Guyane, fut l'un des fondateurs de la Société royale d'agriculture, puis associé libre de l'Académie des Sciences.

Les archives du château de Lantheuil (Calvados) conservent toute une correspondance de Malesherbes avec le marquis Turgot : un dossier de dix-sept lettres, dont seize écrites par le secrétaire de Malesherbes avec signature autographe. Une seule est totalement autographe : c'est celle que nous donnons ci-après.

Cette correspondance s'échelonne de 1779 à 1783.

A M. le Marquis Turgot

A Malesherbes ce 11 décembre [1783].

J'ay reçu, Monsieur, votre magnifique envoi de graines dont je vous fais des remercimens infinis.

Je vous en destine une bien moindre quantité, mais c'est ce que je peux. Je vous en envoye des à present la liste et je la porterai à Paris avec moy.

Quant aux arbres, excepté quatre saules que vous aurés l'an prochain, je vous envoyeray tout ce qui est dans la liste que nous avons faite à Malesherbes et dans celle que nous avons faite à Bons. (1)

En conséquence, j'ay fait arracher tous les arbres et enterrer dans une bonne tranchée, avec des etiquettes gravées en plomb à chaque article. C'est le meilleur moyen pour qu'elles ne s'effacent pas. Par ce moyen je feray venir le paquet à paris quand j'y retournerai si ce... (2) là le tems le permet et je les enterreray encore dans une tranchée dans mon jardin de Paris en attendant votre commodité pour les envoyer en Normandie. Mais s'il survient des gelées fortes, je les laisserai à Malesherbes jusqu'au printems et nous conviendrons ensemble en hiver du tems où il faudra vous les faire venir à paris.

---

(1) Propriété de la famille Turgot, dans le Calvados.
(2) Un mot illisible.

Mais il m'est arrivé, Monsieur, un grand malheur. Tous les gens qui savent copier mon ecriture sont malades ; ainsi j'ay eté obligé d'ecrire la lettre moy-meme, ce qui vous donnera peut etre de la peine pour la dechiffrer.

De plus on n'a pas pu mettre tout au long les frases distinctives sur quelques unes des étiquettes de plomb, et souvent on n'a mis que des lettres initiales, j'y ai suppléé en marquant dans ma liste les lettres de l'étiquette.

Je ne voy plus à vous envoyer pour cette année que les marcottes (3) et crossettes (4) de raisin aspirant (5) pour lesquelles il faudra bien attendre le printems et dont je vous prierai de me rappeler le souvenir. Vous connaissés, Monsieur, l'attachement avec lequel j'ay l'honneur d'être, Monsieur, votre très humble et très obéissant serviteur.

MALESHERBES

Suit, de la main de Malesherbes, une longue liste de graines, avec des explications et commentaires.

---

(3) Le mot *marcottes* a été biffé et remplacé par un autre que nous n'avons pu déchiffrer.

(4) Une crossette est une jeune branche de vigne portant à sa base un peu de bois de l'année précédente et qui sert à faire des boutures.

(5) Cépage réputé qui tire son nom du village d'Aspiran entre Paulhan et Clermont sur l'Hérault.

CHAPITRE DOUZIÈME

Malesherbes et l'Émigration
le Témoignage de Chateaubriand

Malesherbes et l'émigration

Nous avons dit dans notre ouvrage (p. 733) que Malesherbes réprouvait l'émigration, bien qu'il eût encouragé (à l'automne de 1792) sa seconde fille Mme de Montboissier, revenue de Lausanne, à fuir en Angleterre, car il la sentait en danger. Nous avons dit aussi (p. 721) qu'en septembre 1793, prévenu secrètement des périls qu'il courait, il s'était décidé à quitter Paris et à se confiner de nouveau dans son château, afin, comme il l'écrit au baron Hüe, de conserver sa liberté pour être en état de défendre la Reine au cas où l'on accepterait qu'il fût son conseil. Mais il ne voulait pas envisager de quitter la France : il voulait demeurer à son poste. *Emigrer eût été pour lui un déshonneur.* D'accord sur ce point, comme sur bien d'autres, avec sa fille aînée, Mme de Rosanbo, c'est sans doute ce qu'il s'efforça de faire comprendre à Mme de Montboissier qui détestait en bloc la Révolution et qui, dans sa sollicitude et son amour filial, disons aussi dans sa prescience, le pressait de quitter la France. Certaines lettres pathétiques qu'elle adressa à son père en octobre 1792 traduisent sur cette question si grave un douloureux désaccord.

Si Malesherbes refusait l'émigration pour lui, cela signifie-t-il qu'il blâmât l'émigration en elle-même, qu'il portât condamnation contre elle ? Chateaubriand (*Mémoires d'Outre-tombe,* 1re partie, livre IX, chapitre V) affirme le contraire, dans une page qui a pour titre *Opinion de M. de Malesherbes sur l'émigration* et que nous ne pouvons pas escamoter, même si nous n'attribuons aux déclarations de « l'Enchanteur » qu'une valeur toute relative. Voici ce texte : nous en reproduisons les passages essentiels, nous résumons les autres.

Londres (d'avril à septembre 1822).

« Ce me fut une grande satisfaction de retrouver M. de Malesherbes (1) et de lui faire part de mes anciens projets. Je rapportais les plans d'un second voyage qui devait durer 9 ans, je n'avais à faire avant qu'un autre petit voyage en Allemagne : je courais à l'armée des Princes, je revenais en courant pourfendre la Révolution, le tout étant terminé en deux ou trois mois. Je hissais ma voile et retournais au Nouveau-Monde avec une révolution de moins et un mariage de plus ».

Chateaubriand dit ensuite que, sentant que l'émigration était une sottise et une folie, il voulut avoir l'opinion de Malesherbes.

« Je le trouvai très animé : les crimes continués sous ses yeux avaient fait disparaître la tolérance politique de l'ami de Rousseau ; entre la cause des victimes et celle des bourreaux il n'hésitait pas. Il croyait que tout valait mieux que l'ordre des choses alors existant ; il pensait, dans mon cas particulier, qu'un homme portant l'épée ne se pouvait dispenser de rejoindre les frères d'un Roi opprimé et livré à ses ennemis. Il approuvait mon retour d'Amérique et pressait mon frère de partir avec moi ».

Chateaubriand lui fait « les objections ordinaires sur l'alliance des étrangers, sur les intérêts de la patrie, etc... ». Malesherbes lui répond en lui citant des exemples : les Guelfes et les Gibelins s'appuyant sur les troupes de l'Empereur ou du pape, en Angleterre les barons se soulevant contre Jean sans Terre, de nos jours la République des Etats-Unis implorant le secours de la France, etc...

(1) En 1792, au retour du voyage en Amérique.

« Ainsi, *continuait M. de Malesherbes,* les hommes les plus dévoués à la liberté et à la philosophie, les républicains et les protestants, ne se sont jamais crus coupables en empruntant une force qui pût donner la victoire à leur opinion... Moi, Malesherbes, moi qui vous parle, n'ai-je pas reçu en 1776, Franklin, lequel venait renouer les relations de Silas Deane, et pourtant Franklin était-il un traître ? La liberté américaine était-elle moins honorable parce qu'elle a été assistée de La Fayette et conquise par les grenadiers français ?

« Tout gouvernement qui, au lieu d'offrir des garanties aux lois fondamentales de la société, transgresse lui-même des lois de l'équité, les règles de la justice, n'existe plus et rend l'homme à l'état de nature. Il est licite alors de se défendre comme on peut, de recourir aux moyens qui semblent les plus propres à renverser la tyrannie, à rétablir les droits de chacun et de tous ».

Chateaubriand nous dit que les arguments de Malesherbes le frappèrent sans le convaincre. Il ne céda finalement et réellement qu'aux mouvements de son âme, au point d'honneur.

Ces conversations entre Malesherbes et lui eurent lieu, nous dit Chateaubriand au début du chapitre suivant, chez sa belle-sœur, la petite-fille de Malesherbes, Aline-Thérèse de Rosanbo, qui avait épousé, comme on sait, le frère aîné de Chateaubriand, Jean-Baptiste (les deux jeunes époux seront guillotinés en même temps que Malesherbes) et qui venait d'accoucher d'un second fils, Christian de Chateaubriand, dont Malesherbes fut précisément le parrain.

Ainsi Malesherbes aurait reconnu et déclaré formellement que dans certains cas, et notamment quand un gouvernement transgresse les *lois fondamentales de la société* et *les règles de la justice*, il devient légitime de quitter le sol de la patrie et même de faire appel à l'aide de l'étranger. Soit ! Nous admettons que Chateaubriand ait traduit fidèlement la pensée de Malesherbes et n'ait point exagéré les propos de celui-ci pour les besoins de sa propre cause et pour mieux justifier son émigration à lui. Il est possible, d'ailleurs, que Malesherbes, souvent hésitant, porté à peser sans cesse le pour et le contre d'une question, ait varié, au gré des événements, sur ce si grave problème. Il n'en reste pas moins que si une partie de sa famille choisit l'émigration (sa fille et son gendre Montboissier, ses neveux La Luzerne, pour ne citer que les principaux), lui-même, conscient de ses responsabilités et de son honneur, refusa cette émigration (2) qui eût été une désertion, et choisit de demeurer sur le sol de la patrie pour y affronter les plus grands dangers et finalement la mort. Par son exemple il réprouva donc l'émigration, même s'il en reconnaissait dans certaines circonstances le bien-fondé et la légitimité.

---

(2) Remarquons que pendant l'été de 1791, il alla séjourner chez Mme de Montboissier à Lausanne. Or celle-ci le suppliait de rester auprès d'elle. Il rentra pourtant, à l'heure même où la Révolution commençait à prendre un cours tragique.

Conclusion

EN GUISE DE CONCLUSION

Tels qu'ils sont, les documents que l'on vient de lire et que nous avons présentés n'ont d'autre mérite que de compléter l'image de Malesherbes dont notre longue étude s'était naguère efforcée de tracer les contours et de mettre en relief les traits essentiels. Nous avons pu retrouver, à la lumière de ces lettres, l'esprit curieux de toutes choses, le magistrat consciencieux et intègre, l'homme de pensée plus que d'action chez qui les scrupules intellectuels et moraux contrariaient souvent les décisions à prendre et les partis à choisir (1). Un homme qui se laissa porter au Ministère à contre-cœur, qui le quitta dès qu'il lui fut possible et sans regret (le fait n'est pas courant, à notre époque encore moins qu'au siècle de Louis XVI !), non point tant parce qu'il fuyait les responsabilités mais parce qu'il n'avait pas l'âme d'un courtisan. On peut lui reprocher d'avoir préféré les studieux loisirs aux combats qu'il faut affronter pour déjouer les intrigues et pour briser les égoïsmes conservateurs ; du moins ne peut-on pas l'accuser de s'être toujours dérobé, d'avoir toujours esquivé la lutte. Il a su dire des vérités, et souvent avec quelle hauteur de langage (voyez les remontrances de la Cour des Aides et ses lettres pendant l'exil), ou avec quelle fermeté sous la forme la plus respectueuse (voyez ses lettres à Louis XVI (2) et le récit de son entrevue avec Marie-Antoinette) ; il

(1) Voyez notamment la belle lettre du 27 juillet 1776 à Breteuil dans laquelle il se confesse entièrement et avoue combien il était déchiré de devoir prendre le parti du ministère contre la magistrature.

(2) Certes Louis XVI l'a appelé au Conseil, sur les instances de Maurepas et de Turgot, mais il avait été très prévenu contre lui, le considérant comme un encyclopédiste et un antiroyaliste. C'est ce que rapporte l'Abbé de Véri, qui ajoute : « Il est presque le seul sur lequel le roi ait dit, sans souffrir l'examen : — *Ne parlons de lui pour rien, c'est un encyclopédiste trop dangereux.* Je ne crois pas impossible de faire revenir le roi de ce préjugé, mais ce n'est pas le moment. Ce préjugé tient en partie à la conduite de M. de Malesherbes dans la direction de l'Imprimerie, qu'il eut sous son père le Chancelier ».

n'a pas craint d'affronter la disgrâce et plus tard des risques autrement grands qui l'ont conduit nous savons jusqu'où. S'il eut le goût des tactiques habiles et des démarches prudentes, reconnaissons lui aussi le courage des engagements sans réserve ni retour.

Témoin et interprète de son temps, certes il le fut, par ses écrits dont si peu furent publiés, comme par sa vie elle-même mêlée à tant de milieux divers ; mais quelle erreur ne commettrait-on pas si l'on ne voyait en lui qu'un spectateur et même un spectateur passionné ! il fut acteur, et dans ce siècle où penser c'était agir, où la pensée et l'action se confondaient si souvent, il pesa d'un poids non négligeable sur l'évolution des esprits et par là même sur la marche des événements. Ne fut-il pas quelques années durant, comme dit l'abbé de Véri évoquant la lutte de la Magistrature contre Maupeou, « l'idole du public », « le héros du peuple » ? Il dit lui-même qu'il en a conçu quelque orgueil... Ne fit-il pas figure — bien malgré lui peut-être, — de chef de parti ? Popularité passagère sans doute et dont il ne faut pas surestimer l'importance, mais que dire de l'influence profonde et durable qu'il exerça sur les esprits les plus graves et les moins sujets aux emportements ?

Si Malesherbes fut bien de son temps — sans toutefois se laisser porter passivement par des courants auxquels s'abandonnent les faibles, — il est aussi et peut-être davantage encore, notre contemporain. A le regarder vivre, à l'écouter penser, nous en prenons pleine conscience. Dans la conclusion de l'ouvrage que nous lui avons consacré, nous avions déjà fait remarquer « l'ouverture de son esprit, son absence totale de préjugés, ce visage tourné vers l'avenir, attentif aux moindres manifestations du progrès matériel, soucieux de tout ce qui peut améliorer la condition humaine ». La longue familiarité que nous avons eue avec lui n'a pu que renforcer cette opinion. S'il aime tant les Montgolfier c'est parce qu'il leur fait honneur d'une grande découverte dont il entrevoit les immenses prolongements. Quelques uns des nouveaux documents que nous avons reproduits et commentés dans cet ouvrage nous ont donné une idée de l'activité qu'il déployait à l'Académie des Sciences et de l'intérêt qu'il attachait à ce que les savants pussent travailler en paix, exempts de gêne et de « tracasseries ».

On a vu, d'autre part, par sa longue lettre à Sarsfield (admirable, d'ailleurs, par la profonde connaissance de l'âme humaine dont elle témoigne), la sévérité avec laquelle il juge les « grands » qui « contribuent plus que personne à dégrader la noblesse », la vigueur avec laquelle il dénonce le respect accordé à la seule richesse, l'injuste discrédit qui s'attache à la pauvreté et la progressive corruption des mœurs dans la haute société ; on a remarqué aussi la fermeté avec laquelle il se déclare en faveur du principe de l'égalité des conditions, ne dissimulant pas les abus d'autorité dont se rendent sans cesse coupables certains corps, et notamment la magistrature dont il fait lui-même partie. Et si l'on songe en particulier que c'est seulement en 1964, c'est-à-dire près de deux siècles après lui, qu'un pays comme l'Espagne envisage d'accorder aux non-catholiques la liberté de culte et l'égalité des droits, on conviendra que les causes pour lesquelles Malesherbes a combattu ne sont pas toutes périmées...

De ces pages, comme de tous les écrits de Malesherbes, se dégage l'image d'un homme que n'asservissait aucune convention et qui, dans son absolue rectitude morale, n'avait en vue que la recherche de la vérité et de la justice. En ce sens, il apparaît plus près de nous que des esprits trop systématiques et doctrinaires comme Rousseau ou trop portés à l'ironie et au scepticisme comme Voltaire. Bien qu'il protégeât les Encyclopédistes, nul ne fut moins que lui homme de parti ou desservant d'une chapelle. Nul ne fut moins sectaire que cet homme auquel il ne manqua qu'un caractère moins scrupuleux et un peu plus d'ambition pour se placer dans son époque au premier rang.

INDEX ALPHABETIQUE

M

N

O

P

R

S

T

V

X

Z

TABLE DES MATIERES

ACHEVÉ D'IMPRIMER
SUR LES PRESSES DE L'IMPRIMERIE
H. DÉVÉ ET CIE A EVREUX
NUMÉRO D'IMPRIMEUR 614